D1241303

SOURCES CHRÉTIENNES
Fondateurs : H. de Lubac, s.j. et † J. Daniélou, s.j.
Directeur : C. Mondésert, s.j.

N° 311

JEAN D'APAMÉE

DIALOGUES ET TRAITÉS

INTRODUCTION, TRADUCTION ET NOTES

PAR

René LAVENANT, s.j.

Ouvrage publié avec le concours du Centre National de la Recherche Scientifique

LES ÉDITIONS DU CERF, 29, Bd de Latour-Maubourg, PARIS 7e
1984

La publication de cet ouvrage a été préparée avec le concours de l'Institut des Sources Chrétiennes (E.R.A. 645 du Centre National de la Recherche Scientifique).

NIHIL OBSTAT
IMPRIMI POTEST :

Rome,
10 octobre 1983
Simon DECLOUX, s.j.

IMPRIMATUR :

Lyon,
26 octobre 1983
Jean ALBERTI, p.s.s.
cens. deleg.

ISBN 2-204-02157-1

A la mémoire très chère
de Mlle Marguerite GOUDARD
qui dans la mort sut accueillir l'espérance
de Jésus-Christ.

R.L.

AVANT-PROPOS

Avant de présenter l'étude et la traduction qui font l'objet de ces pages, nous devons un mot d'explication sur le caractère des textes ici traduits. Leur langue originale – le syriaque – présente des particularités stylistiques communes à toutes les langues sémitiques. Mentionnons parmi les plus connues : l'accumulation de substantifs ou de verbes de sens voisins, de synonymes, les couples de termes antithétiques, le parallélisme entre les membres de la phrase, etc.

Pour préciser davantage dans le cas de nos textes, nous devons en distinguer deux groupes. Le premier comporte six *Dialogues* de Jean d'Apamée avec ses disciples (*inf.* textes I-VI), le second étant constitué de deux *Lettres* (VII-VIII) suivies de trois *Traités christologiques* (IX-XI).

Les *Dialogues* sont peut-être une fidèle «sténographie» des propos tenus par Jean d'Apamée pour répondre aux questions de ses disciples. Mais même dans ce cas, on ne peut exclure la possibilité d'arrangements rédactionnels ou de développements ajoutés au moment de la mise au point définitive du texte, ce qui a pu accentuer le caractère redondant du style dans nombre de passages.

Quant aux textes christologiques qui nous sont présentés comme la réponse écrite de Jean à une lettre d'un de ses disciples (textes VII-XI), ils relèvent en certains cas du style hymnique ou bien reproduisent purement et simplement des listes de titres christologiques comme il en existait à cette époque.

Dans notre traduction, à part certains passages où l'accumulation des synonymes exigeait un allègement, nous avons respecté le caractère redondant du texte original et, en ce qui concerne les textes christologiques, nous ne pouvions faire autrement que de garder telle quelle l'énumération des titres donnés au Christ ainsi que celle des actes par lesquels il a accompli sur terre son «économie» rédemptrice.

Nous nous sommes appliqué, cela va de soi, à donner un texte le plus clair possible. Nous ne nous flattons pas d'y être parvenu en tout point, étant donné l'extrême difficulté d'exprimer en un français lisible des modes de pensée et des expressions qui, à plus d'un titre, peuvent sembler étranges au lecteur d'aujourd'hui.

Dans la rédaction définitive de notre traduction, nous avons beaucoup utilisé le compte rendu critique du Prof. T. Jansma (*BO* XXXI, janv.-mars 1974, p. 42-52) sur l'édition et la traduction de W. Strothmann, ce qui nous a permis de clarifier maints passages de notre texte.

Nous avons beaucoup profité aussi des corrections et améliorations suggérées par le R.P. L. Doutreleau de «Sources Chrétiennes». Qu'il soit ici très vivement remercié pour toute la peine qu'il s'est donnée à lire ces pages.

Il faut enfin signaler que cette publication a son origine dans un diplôme préparé sous la direction de M. Antoine Guillaumont et présenté le 14 janvier 1979 à la Ve Section de l'École Pratique des Hautes Études à Paris. Au directeur de notre travail, d'une façon particulière, mais aussi à M. Philippe Gignoux et au regretté Père Paul Nwyia, S.J., nous devons une grande reconnaissance pour toutes les remarques et suggestions qu'ils ont bien voulu nous faire et qui nous ont permis de mettre au point cet ouvrage.

Le R. Père André de Halleux (Louvain) a relu notre manuscrit et nous a lui aussi proposé d'utiles observations.

R.L.

Le 2 février 1982

Rome, près Sainte-Marie-Majeure.

ABRÉVIATIONS ET SIGLES

I. Oeuvres de Jean d'Apamée

Dial. = Johannes von Lycopolis, *Ein Dialog über die Seele und die Affekte des Menschen,* éd. Sven Dedering, Uppsala 1936.
Traduction française : I. Hausherr, *Jean le Solitaire (Pseudo-Jean de Lycopolis), Dialogue sur l'âme et les passions des hommes, OCA* 120, Rome 1939.

Briefe = *Briefe von Johannes dem Einsiedler,* éd. et trad. L.G. Rignell, Lund 1941. La troisième lettre n'a pas été traduite. L'éditeur en donne seulement un résumé.

Trakt. = *Drei Traktate von Johannes dem Einsiedler (Johannes von Apameia),* éd. et trad. L.G. Rignell, Lund 1960.

Gespr. = Johannes von Apamea, *Sechs Gespräche mit Thomasios, Der Briefewechsel zwischen Thomasios und Johannes und Drei an Thomasios gerichtete Abhandlungen,* éd. et trad. Werner Strothmann, *Patristische Texte und Studien,* Band 11, Walter de Gruyter, Berlin 1972.

Nous publions ici la traduction française des six Dialogues, de l'échange de lettres entre Jean et Thomasios et des trois Traités (c'est-à-dire des 11 textes édités par Strothmann).

N.B. Les abréviations données ci-dessus concernent le texte syriaque. Pour les renvois, le premier chiffre indiquera la page du texte, les suivants les lignes. Signalons que chaque traduction donne en marge la page du texte syriaque.

II. Livres et articles

Bar-Koni : Théodore Bar-Koni, *Liber Scholiorum, CSCO* 66, Louvain 1912.

BAUMSTARK : Anton BAUMSTARK, *Geschichte der syrischen Literatur,* Bonn 1922.

DUVAL : Rubens DUVAL, *Littérature syriaque,* 3e éd., Paris 1907.

FESTUGIÈRE II : A.J. FESTUGIÈRE, *La Révélation d'Hermès Trismégiste.* II, *Le dieu cosmique,* Paris 1949.

FESTUGIÈRE III : A.J. FESTUGIÈRE, *La Révélation d'Hermès Trismégiste.* III, *Les doctrines de l'âme,* Paris 1953.

FRANKENBERG : W. FRANKENBERG, *Euagrius Ponticus* (Abhandlungen der königlichen Gesellschaft der Wissenschaften zu Göttingen Philol.-hist. Klasse, Neue Folge, Bd XIII,2), Berlin 1912.

HAUSHERR, *Intr.* : Introduction à la traduction française du Dialogue sur l'âme et les passions des hommes (cf. *sup.* p. 11).

HAUSHERR, *Un grand* : I. HAUSHERR, *Un grand auteur spirituel retrouvé : Jean d'Apamée,* OCP 14, Rome 1948, p. 3-42.

HERMÈS I : HERMÈS TRISMÉGISTE, I. *Traités* I-XII, édit. Nock, trad. Festugière, *CUF,* Paris 2e édit. 1960.

HERMÈS III : HERMÈS TRISMÉGISTE, III. *Fragments extraits de Stobée, I-XXII,* éd. et trad. Festugière, *CUF,* Paris 1954.

HERMÈS IV : HERMÈS TRISMÉGISTE, IV. *Fragments extraits de Stobée, XXIII-XXIX, Fragments divers,* éd. Festugière et Nock, trad. Festugière, *CUF,* Paris 1954.

LAVENANT, *Patric.* : René LAVENANT, *La Lettre à Patricius d'Édesse de Philoxène de Mabboug, PO* XXX n° 147, Paris 1963.

MAI : A. MAI, *Scriptorum Veterum Nova Collectio* 5, Rome 1831.

MARROU I : CLÉMENT D'ALEXANDRIE, *Le Pédagogue,* Livre I, *SC* 70, trad. M. Harl, introd. et notes H.I. Marrou, Paris 1960.

MARROU II : CLÉMENT D'ALEXANDRIE, *Le Pédagogue,* Livre II, *SC 108,* trad. C. Mondésert, notes H.I. Marrou, Paris 1965.

STROTHMANN : W. STROTHMANN, Introduction à l'édition des textes ici traduits.

URBINA : I. ORTIZ DE URBINA, *Patrologia syriaca,* Roma 1965.

III. SIGLES

BO Bibliotheca Orientalis (Leiden).

CSCO Corpus Scriptorum Christianorum Orientalium (Paris et Louvain).

CUF Collection des Universités de France (Paris).

DS Dictionnaire de Spiritualité (Paris).
GCS Die Grieschichen Christlichen Schrifsteller (Leipzig).
OCA Orientalia Christiana Analecta (Rome).
OCP Orientalia Christiana Periodica (Rome).
PG J.P. MIGNE, Patrologiae cursus completus, Series Graeca (Paris).
PO F. GRAFFIN, Patrologia Orientalis (Paris et Turnhout)
RSR Recherches de sciences religieuses (Paris).
SC Sources Chrétiennes (Paris).

IV. ÉTUDES SUR JEAN D'APAMÉE

Cf. Introductions des éditeurs et traducteurs signalés ci-dessus.

Paul HARB, «Doctrine spirituelle de Jean le Solitaire (Jean d'Apamée)», *Parole de l'Orient,* 1971, n° 2, p. 225-260.
– «Aux sources de la mystique nestorienne du VIIe-VIIIe siècle : Jean le Solitaire (Jean d'Apamée)», *Proceedings of the 28th International congress of Orientalists,* Wiesbaden 1976, p. 36.
Bruce BRADLEY, «Jean le Solitaire (d'Apamée)», *DS,* VIII, 1973, col. 764-772.
Sebastian BROCK, «John the Solitary, On Prayer». *Journal (The) of Theological Studies,* Oxford ns 30 (1979), p. 84-101.
Paolo BETTIOLO, «Sulla Preghiera : Filosseno o Giovanni?», *Le Muséon* 94, Louvain 1981, p. 75-89.
André DE HALLEUX, «La christologie de Jean le Solitaire», *ibid.,* p. 5-36.
– «Le milieu historique de Jean le Solitaire, une hypothèse», *OCA* 221, Rome 1983.
Comptes rendus de l'édition de W. Strothmann :
A. DAVIDS, *Byzantinische Zeitschrift* 68, 1975, p. 404-409.
W. MACOMBER, *OCP* 40, 1974, p. 193-196.
T. JANSMA (cf. *sup.* Avant-Propos, p. 10).

Note sur la transcription des mots syriaques

Pour la transcription des mots syriaques en caractères latins, nous avons adopté la prononciation en usage dans l'Église maronite.

INTRODUCTION

CHAPITRE PREMIER
LE PROBLÈME DE JEAN D'APAMÉE

1. Les œuvres éditées

Les œuvres dont on présente ici la traduction font partie d'une importante collection de traités ascétiques écrits en syriaque et conservés dans de nombreux manuscrits, dont les plus anciens sont datés de 581[1].

Jusqu'à présent, quatre de ces œuvres ont été éditées[2]. La première l'a été en 1936, par Sven Dedering. Il s'agit d'un *Dialogue sur l'âme et les passions des hommes,* que l'éditeur attribue de façon erronée à Jean de Lycopolis, célèbre ascète de la Thébaïde mort vers 394. Le P. Hausherr a publié une traduction française de ce texte, après l'avoir restitué à son véritable auteur, un certain Jean le Solitaire[3]. Qui est ce Jean le Solitaire? Les moines de ce nom qui ont

1. BAUMSTARK, p. 88-90; DUVAL, p. 312; URBINA, p. 109.
2. Sur toutes ces éditions et traductions, cf. *sup.* p. 11.
3. Ou «Jean le Moine», le mot syriaque *īḥīdoyo* pouvant se traduire de ces deux façons. Il correspond au grec μοναχός. Sur le sens exact de ce mot dans le monachisme primitif, cf. A. GUILLAUMONT, *Aux origines du monachisme chrétien, Spiritualité Orientale* n° 30, Abbaye de Bellefontaine, 1979, p. 47-66.

mené la vie érémitique dans les solitudes d'Égypte, de Syrie ou de Palestine, sont légion.

La publication en 1941, par Lars Gösta Rignell, de trois *Lettres* du même Jean le Solitaire, permit de préciser le véritable nom de ce personnage. En effet, vers la fin de la deuxième *Lettre* figure un passage qui était déjà connu, parce que cité par le théologien nestorien Babaï le Grand († 628) dans son *Commentaire des Six Centuries* d'Évagre le Pontique. Babaï attribue le texte qu'il cite à « Jean le Solitaire, du pays d'Apamée[1] ». Il s'avérait donc que, comme l'avait pressenti le P. Hausherr, Jean le Solitaire, auteur du *Dialogue* édité par Sven Dedering et des trois *Lettres* sus-mentionnées, est en réalité un certain Jean d'Apamée de Syrie[2], que le P. Hausherr situe dans la première moitié du ve siècle ou même la deuxième moitié du ive siècle.

Et c'est sous ce nom, ajouté à celui de Jean le Solitaire, que L.G. Rignell publie en 1960 trois courts *Traités sur la Perfection et le Baptême*.

Enfin, en 1972, Werner Strothmann édite, sous le seul nom de Jean d'Apamée, un ensemble de onze textes comprenant six *Dialogues*, deux *Lettres* et trois *Traités*, dont le thème majeur est l'espérance de la vie ressuscitée dont nous gratifie l'économie salvifique du Christ. Au texte syriaque est jointe une traduction allemande, elle-même précédée d'une importante étude historique et doctrinale. C'est cet ensemble de onze textes que nous présentons et que nous traduisons dans ces pages.

2. Un ou trois Jean d'Apamée?

Ce premier point acquis, nous n'en avons pas fini pour autant avec le problème de l'identité de notre auteur. Car

1. Frankenberg, p. 135. Le passage cité par Babaï se trouve dans *Briefe* 80, 18 – 81, 4.

2. Cette précision est nécessaire, puisqu'il sera question plus loin d'un Jean d'Apamée en Mésopotamie.

enfin qui est ce Jean d'Apamée, dont la renommée était si considérable que des moines de Palestine n'hésitaient pas à s'imposer un voyage de plusieurs jours pour venir jusqu'à Apamée recueillir les paroles du Maître[1]?

Ici deux thèses antagonistes s'affrontent : la thèse du P. Hausherr et celle de Strothmann.

a) *Thèse du P. Hausherr*[2].

Selon lui il faut distinguer trois Jean d'Apamée.

1. *Un premier Jean d'Apamée de Syrie*[3] auteur de nos *Dialogues* et *Traités* et des œuvres énumérées plus haut, moine syrien ayant vécu, semble-t-il, dans la première moitié du Ve siècle ou la deuxième moitié du IVe.
2. *Un deuxième Jean d'Apamée de Syrie* professant un panthéisme gnostique et émanationniste décrit par l'hérésiologue nestorien Théodore Bar Koni (VIIIe-IXe s.) dans son *Liber Scholiorum*[4] et qu'il ne serait pas invraisemblable d'identifier avec le personnage combattu par Philoxène de Mabboug (†523) sous le nom de « Jean l'Égyptien[5] ».
3. *Un troisième Jean d'Apamée en Mésopotamie,* condamné par le Catholicos nestorien Timothée I, en 786-787, en même temps que Joseph Hazzaya et Jean de Dalyatha[6].

Dans son argumentation le P. Hausherr s'est attaché avant tout à distinguer les deux premiers Jean d'Apamée. Pour lui, le cas du troisième est on ne peut plus clair. On est obligé, d'entrée de jeu, de le distinguer des deux premiers pour une raison de chronologie, ce troisième personnage étant bien postérieur aux deux autres[7].

1. Cf. *inf.* p. 47.
2. Toute l'argumentation du P. HAUSHERR est exposée dans son Introduction à la traduction du *Dialogue sur l'âme et les passions des hommes* (cf. *sup.* p. 11) et dans *OCP* 14, 1948, p. 3-42.
3. Cf. *sup.* p. 16 note 2.
4. BAR KONI, p. 331-333. Cf. HAUSHERR, *Un grand,* p. 6-8.
5. LAVENANT, *Patric.*, p. 848. // 6. MAI, p. 167.
7. HAUSHERR, *Intr.*, p. 24-25.

b) *Thèse de Strothmann*[1].

Pour lui, il n'a existé qu'un seul Jean d'Apamée. Les trois Jean d'Apamée distingués ci-dessus ne sont en fait que les trois aspects d'un même personnage. Comme le P. Hausherr, Strothmann utilise surtout la notice de Bar Koni pour étayer sa thèse. A ce texte, il joint une série impressionnante de témoignages et de citations sur Jean d'Apamée. De cet ensemble se dégage le portrait d'un personnage assurément fort complexe puisque réunissant en lui des traits aussi contradictoires que ceux mis en relief par tous ces textes.

c) *Thèse ici adoptée.*

Ayant étudié ailleurs[2] ces deux thèses, nous ne reviendrons pas ici en détail sur les raisons qui nous font tenir la thèse du P. Hausherr comme la plus vraisemblable.

Disons en bref que le dossier historique de Strothmann n'apporte aucun texte nouveau susceptible d'infirmer les arguments du P. Hausherr ou de renouveler la question. Aucun de ces témoignages concernant Jean d'Apamée ne nous offre réunis en même temps les traits d'un personnage qui serait à la fois orthodoxe dans sa doctrine et professant – même en cachette – un gnosticisme aussi radicalement antichrétien que celui décrit par Bar Koni. Inutile de prétendre, comme le fait Strothmann[3], que la notice hérésiologique décrit une doctrine qui n'a jamais été professée par qui que ce soit, mais que cependant le rédacteur de ce texte a puisé son vocabulaire dans les textes ici traduits – surtout le *Dialogue* IV – pour construire de

1. STROTHMANN, p. 81-115.
2. R. LAVENANT, «Le problème de Jean d'Apamée», *OCP* 46, 1980, p. 367-390.
3. STROTHMANN, p. 100, 4.

toutes pièces une hérésie fictive[1]. Ce genre d'argument n'est ni convaincant ni historiquement fondé. La thèse du P. Hausherr est plus vraisemblable, elle considère notre auteur comme orthodoxe et n'ayant – à part le nom – rien de commun avec son homonyme gnostique[2].

1. STROTHMANN, p. 101. Cf. *inf.* p. 20.

2. Orthodoxe, c'est-à-dire ne professant pas une doctrine christologique clairement hétérodoxe ni à plus forte raison un gnosticisme quelconque. Pour plus de précisions sur la christologie de Jean, cf. A. DE HALLEUX, « La christologie de Jean le Solitaire », *Le Muséon* 94, Louvain 1981, p. 5-36. Quant au 3e Jean d'Apamée, nous le distinguons, à la suite du P. Hausherr, avant tout pour une raison de chronologie ; cf. R. LAVENANT, *art. cit.*, p. 384-387.

CHAPITRE II

LA VIE ET LES ŒUVRES DE JEAN D'APAMÉE

1. Sa vie

On peut s'en douter : cette homonymie de trois personnages aussi différents semble avoir eu pour résultat d'entourer la mémoire de notre auteur d'une aura de suspicion ou au moins d'ambiguïté et d'incertitude[1]. Il n'est pas interdit de penser qu'une telle ambiguïté a pu être entretenue à dessein pour des raisons polémiques au cours des luttes doctrinales qui vont faire rage au VIe siècle, en Syrie notamment. On ne sera pas étonné que dans ces conditions, à part les maigres indications que l'on peut glaner dans les œuvres, nous n'ayons plus aucune donnée biographique sur ce moine qui semble pourtant avoir joui d'une grande renommée.

Les dates de sa vie ne nous sont pas davantage connues. Seul un *terminus ad quem* précis nous est fourni par la date des plus anciens manuscrits qui ont conservé ses œuvres, 581[2]. Un deuxième procédé consiste à relever dans le vocabulaire, les concepts et la doctrine de l'auteur en question, toutes les similitudes et affinités qu'il présente avec un autre personnage mieux situé dans le temps. Pour Jean d'Apamée, ce personnage est Philoxène de Mabboug

1. En disant que Jean d'Apamée a écrit «des livres sur la Perfection dans lesquels est cachée son hérésie», Michel le Syrien ne fait peut-être que recueillir une tradition qui, pour une raison polémique ou autre, a tenté d'amalgamer les deux premiers Jean d'Apamée, l'orthodoxe et le gnostique en un seul personnage. Cf. CHABOT, *Chronique de Michel le Syrien,* II, Paris 1901, p. 250 et IV, Paris 1910, p. 313.

2. Cf. *sup.*, p. 15.

(†523). Strothmann semble avoir établi de façon assez sûre l'antériorité de Jean d'Apamée par rapport au prélat monophysite[1]. On peut préciser davantage en examinant la christologie. Dans une communication faite au IIIe Symposium Syriacum tenu à Göttingen en septembre 1980, le R.P. de Halleux, se fondant sur certaines particularités du vocabulaire christologique de Jean, situe l'activité littéraire de celui-ci entre les années 430 et 450, «en le considérant comme un auteur pré-chalcédonien sympathisant au courant pro-cyrillien qui se développait alors dans l'École d'Édesse[2]».

Pour les autres données biographiques, nous devons nous contenter des quelques allusions recueillies dans les œuvres. A la suite de Strothmann, on peut dire que le nom de notre auteur indique clairement qu'il devait habiter dans la région d'Apamée en Syrie du Nord. A en juger d'après le grand nombre de manuscrits qui ont conservé ses œuvres, Jean doit avoir été considéré comme l'un des écrivains syriens les plus en vue. Comme on l'a dit[3], sa renommée était telle de son vivant que des moines de Palestine n'hésitaient pas à entreprendre un voyage de plusieurs jours pour venir le consulter.

Il semble avoir séjourné et étudié à Alexandrie[4]. De fait, son œuvre véhicule un certain nombre d'idées ayant cours dans les milieux hellénistiques de l'époque. Témoin son goût pour les sciences biologiques et médicales. Une comparaison fréquente chez lui est celle de l'embryon dans le sein maternel[5]. La psychologie l'intéresse de même au

1. STROTHMANN, p. 62.

2. *OCA*. 221. Sur l'École d'Édesse et les courants doctrinaux de l'époque, cf. E.R. HAYES, *L'École d'Édesse,* Paris 1930, p. 253-255.

3. Cf. *sup.*, p. 17.

4. Ce point est mis en doute par A. DE HALLEUX dans son article «La christologie de Jean le Solitaire», *Le Muséon* 94, 1981, p. 18, note 51.

5. Dans les œuvres éditées, cette comparaison revient environ une dizaine de fois. Pour les références, cf. STROTHMANN, p. 65. On sait la

plus haut point, dans la mesure où il peut la mettre au service de la pédagogie et du discernement spirituels[1].

Tout cela reste assez extérieur et ne nous révèle que très peu de chose de la physionomie spirituelle de Jean d'Apamée. C'est pourquoi, en nous fondant sur les œuvres éditées à ce jour, nous voudrions tenter de dégager les traits majeurs de cette physionomie.

a) *Jean et l'Écriture.*

La première évidence qui saute aux yeux à la lecture des œuvres de Jean, est la place capitale qu'y tient l'Écriture, Ancien et Nouveau Testament. La Parole de Dieu est vraiment «l'humus» où s'enracine sa vision spirituelle de l'histoire de l'humanité et de chaque baptisé. Certes, cette vision se greffe sur les catégories anthropologiques et culturelles propres à l'époque et au milieu de notre auteur. Il n'en reste pas moins qu'à ses yeux, la dimension totale du destin de l'homme – de son espérance – ne peut être saisie

place importante de la médecine dans la culture hellénistique. Cf. MARROU I, p. 78-79. Les auteurs spirituels syriens manifestent la même prédilection pour cette branche du savoir humain. Cf. HAUSHERR, *Intr.*, p. 11; STROTHMANN, p. 64-65. Ici on peut se demander à quels auteurs Jean d'Apamée a emprunté les idées philosophiques dont il fait état dans ses écrits. Il nous semble impossible de répondre de façon précise à une telle question. Disons pour l'instant que ces idées relèvent de la culture hellénistique qui était très répandue dans les milieux intellectuels de l'époque. On aura l'occasion de signaler chez notre auteur quelques thèmes de pensée qui se rencontrent soit dans la philosophie hellénistique, soit chez tel ou tel penseur chrétien comme Clément d'Alexandrie, premier grand représentant de la synthèse entre la philosophie hellénistique et la révélation judéo-chrétienne.

Un auteur légèrement antérieur à Jean, Némésius d'Émèse (fin IVe s.) a, lui aussi, tenté de présenter «une doctrine authentiquement chrétienne de la réalité humaine, repensée et réexprimée à l'aide des catégories empruntées à la pensée grecque». Willy VANHAMEL, *DS* 11 (1982), col. 92-99.

1. Les trois-quarts du *Dialogue sur l'âme et les passions des hommes* sont consacrés à expliquer le «mécanisme» des diverses passions dans l'âme soucieuse de progrès spirituel.

et vécue que dans une histoire qui est celle du don que Dieu nous fait en Jésus-Christ. Pour Jean, l'essentiel n'est pas de s'adonner à des mortifications excessives ou à une ascèse désordonnée, mais de revenir constamment au centre de soi-même et de s'y adonner à la «fréquentation assidue de la Parole de lumière[1]».

La méditation continuelle de l'Écriture met Jean en présence du déroulement grandiose de l'action de Dieu, depuis la Création jusqu'à l'accomplissement total de l'homme dans la vie ressuscitée. Le mot-clé qui lui est cher et qu'il applique à toutes les modalités de cette action divine, est le mot syriaque *m*^{e}*dabb*^{e}*ronūto,* que nous avons traduit par «économie». Jean contemple cette économie à tous les niveaux de la création et à toutes les étapes de l'histoire du salut. Il y a l'Économie du monde d'en haut, du monde spirituel des anges et des multitudes célestes, qui sera identiquement celle du monde à venir, c'est-à-dire de l'humanité ressuscitée, point de convergence de toute l'espérance humaine en Jésus-Christ. D'où, dans nos textes, toutes ces discussions sur le corporel et l'incorporel, l'état de l'âme après la mort, la hiérarchie qui préside à l'organisation du monde spirituel des anges[2]. Cette économie du monde d'en haut est le terme et l'aboutissement des autres économies qui ont commencé à la création de l'homme et du monde. Dieu a créé essentiellement deux mondes, le monde des anges, des êtres spirituels et le monde d'ici-bas, le nôtre qu'il a voulu à la fois spirituel et matériel. Autrement dit, il a créé un monde qui dès sa création l'a trouvé et jouit depuis le début de la vision de son Créateur, et un monde matériel, le nôtre, sujet à toutes sortes de faiblesses et d'infirmités, soumis à la servitude du péché, c'est-à-dire, en somme, un monde qui le cherche. Ici, il faut souligner que la vision de Jean n'a rien de platonicien :

1. *Trakt.*, 5,19-6. // 2. *Gespr.*, 25 s.

notre monde qui est à la fois matériel et spirituel a été voulu comme tel par Dieu. Le Créateur veut nous faire accéder à la «spiritualité des saints anges[1]»,mais en nous faisant passer d'abord par la corporéité de ce monde qui est son œuvre.

b) *Son sens de la pédagogie divine.*

En contemplant le travail d'éducation et de patiente pédagogie que Dieu a entrepris avec le peuple d'Israël, Jean a acquis une perception très vive de l'enracinement charnel de l'Histoire Sainte et le sens des lentes maturations qui, comme celle de l'embryon dans le sein maternel, président à la genèse du monde à venir et de l'homme nouveau[2].

Ce que Dieu a fait avec le peuple d'Israël se reproduit sur le plan individuel pour chaque baptisé. Certes, il faut dépasser le corporel, mais une saine pédagogie spirituelle, loin de l'ignorer ou de le laisser de côté, se doit de l'intégrer comme le point de départ normal, obligatoire de tout accomplissement authentique. Il s'agit de se mettre en marche ou plus exactement de se laisser conduire selon les lois d'une pédagogie qui n'a d'autre but que d'enseigner à l'homme comment s'ouvrir à l'espérance de Jésus-Christ. D'où l'insistance de Jean à détailler les étapes de cette progression, à faire œuvre de pédagogue patient et lucide[3].

c) *Discrétion, humilité.*

Ces deux traits sont spécifiques d'une pédagogie spirituelle qui, soucieuse de ne pas brûler les étapes, sait tempérer les enthousiasmes impatients de surmonter tous les obstacles et, surtout, démasque les illusions des débutants dans la vie spirituelle. Bien plus, chez Jean, cette discrétion, ce discernement font partie intégrante de sa

1. *Gespr.*, 38,21. // 2. *Gespr.*, 19,13. // 3. *Dial.*, 19-20.

conception du progrès spirituel. Pour lui, la caractéristique première de tout don spirituel authentique est son invisibilité. Les révélations que Dieu fait à l'homme sur « la science de ses mystères » sont par essence totalement invisibles, c'est-à-dire qu'elles ne peuvent en aucune manière avoir un retentissement extérieur sur celui qui en est l'objet. Sinon, cela signifie que l'on n'est pas encore parvenu au stade spirituel et que l'on doit user d'une extrême circonspection vis-à-vis de ces manifestations extérieures de la grâce[1].

On comprend alors que la vertu capitale de l'homme spirituel sera l'humilité, et l'humilité conçue à la limite comme l'abolition de tout signe extérieur qui pourrait la manifester, une humilité qui serait la pure transparence de l'âme à l'amour de Dieu. C'est à tel point que Jean, en des pages étonnantes, semble nier même la possibilité pour l'homme de tout mérite devant Dieu, et il en prend occasion pour comparer le calme et la tranquillité dont jouit le moine dans sa cellule avec la vie pleine de tracas des gens du monde mariés et chargés de famille[2].

Dans le spirituel qui est parvenu à une telle humilité, le champ est désormais libre pour un amour exempt de toute crainte, pur de tout attachement à ce qui n'est pas Dieu, un amour parfaitement spirituel autant que la grâce de Dieu permet d'y atteindre avant sa consommation dans la vie ressuscitée.

d) *Une âme jubilante dans le mystère du Christ.*

Tout cela n'est rendu possible que par le don que Dieu nous fait en Jésus-Christ. A propos du mystère du Christ, on trouve chez Jean deux genres de développements : l'un

1. *Dial.*, 9-10.

2. *Briefe*, 49-51. Cette importance primordiale reconnue à l'humilité est caractéristique de la spiritualité syriaque. L'humilité est par excellence la vertu du parfait, de celui qui a reçu la plénitude de l'Esprit. Cf. A. Guillaumont, « Situation et signification du "Liber Graduum" dans la spiritualité syriaque », *OCA*, 197, 1974, p. 311-322.

de ton didactique qui est celui de l'exposé doctrinal[1], l'autre qui s'apparente plutôt au ton de l'hymne, de l'homélie métrique ou de la doxologie.

Dans le silence de sa cellule, Jean médite[2] sur les merveilles du mystères du Christ, il saisit les dimensions célestes et cosmiques de ce mystère qui étreint tous les êtres, depuis les multitudes du monde d'en haut jusqu'aux habitants du monde d'en bas. Et cette contemplation fait tout naturellement éclore sur ses lèvres la jubilation et la louange.

Les développements christologiques qu'on lira au cours de ces pages[3] nous restituent peut-être ici ou là comme un écho de ces Hymnes qu'évoque son disciples Thomasios et dont il ne nous reste qu'un court fragment cité par ce même Thomasios[4].

Ainsi Jean d'Apamée nous apparaît à la fois comme un homme cultivé, au courant des idées de son temps, sachant discuter les opinions des philosophes[5], réfuter les objections de ses disciples ou de ses contradicteurs, un théologien capable d'exprimer sa foi[6]. Ce fut surtout un homme vivant en familiarité constante avec la Parole de Dieu, patient pédagogue, immensément humble et aimant, ne quittant jamais le centre de son âme, tout illuminé par le mystère du «Christ notre espérance[7]».

1. *Briefe,* 83-120; STROTHMANN, 68-73.
2. Le verbe syriaque *etehegbi* dont le premier sens est «épeler» et ensuite «méditer» suggère que le moine médite en prononçant silencieusement des lèvres la Parole de Dieu. C'est un verbe de même racine que l'hébreu emploie dans *Ps.* 1,2. Cf. *Gespr.,* 133,3. C'est la μελέτη des moines de langue grecque. Cf. A. GUILLAUMONT, *Aux origines du monachisme chrétien,* p. 130.
3. Cf. *inf.,* p. 130 s.
4. *Gespr.,* 91,9. Cf. *Gespr.,* 1,13; 6, dern. lig.
5. Cf. *inf.* p. 48-49.
6. *Briefe,* 96,12 – 97,19; STROTHMANN, p. 71-72.
7. *Gespr.,* 20,1.

2. Ses œuvres

De la masse considérable des manuscrits contenant les œuvres attribuées à Jean d'Apamée, Strothmann a pu dégager un certain nombre d'écrits qui lui paraissent présenter toutes les garanties de l'authenticité. On s'en tiendra ici à ses conclusions.

a) *Les œuvres éditées*[1].

1. Dialogue sur l'âme et les passions des hommes.
2. Trois Lettres.
3. Trois Traités.
4. Dialogues, Lettres et Traités : ici traduits.

b) *Les œuvres inédites*[2].

1. Premier Traité sur le monde nouveau.
2. Deuxième Traité sur le monde nouveau.
3. L'accomplissement des Promesses dans le futur et la vie nouvelle.
4. Pourquoi en ce monde les bons sont-ils malheureux et les méchants heureux?
5. Sur la fin du monde.
6. Deuxième Traité sur la fin du monde. Doxologie.
7. Lettre à Eubule.

c) *Les œuvres perdues*[3].

1. La nature des démons.
2. L'Épiphanie du Seigneur.
3. Hymnes[4].

1. Cf. *sup.*, p. 11.
2. STROTHMANN, p. 61.
3. *Id.*, p. 56.
4. Cf. *sup.*, p. 26.

CHAPITRE III

LA DOCTRINE SPIRITUELLE DE JEAN D'APAMÉE

On ne tentera pas d'offrir ici une présentation détaillée de la doctrine spirituelle de Jean d'Apamée. Il nous a semblé sans intérêt de reproduire dans ces pages ce que d'autres ont exposé avant nous. Nous avons jugé également superflu de consacrer des développements aux thèmes les plus traditionnels de l'ascèse chrétienne que Jean avait recueillis de sa méditation de l'Écriture et de l'enseignement des grands docteurs.

Le but de cet exposé sera à la fois plus limité et, pensons-nous, plus précis que des considérations qui auraient masqué les traits originaux de la doctrine étudiée. Nous procéderons en trois étapes. Après une présentation globale des idées de Jean, nous nous attacherons à définir la perspective propre à chaque œuvre. Cela nous amènera dans une troisième partie à préciser ce qui nous semble être un des traits significatifs de cette doctrine.

1. Présentation d'ensemble

La doctrine spirituelle de Jean d'Apamée est toute entière axée sur le don que Dieu nous fait en Jésus-Christ de la vie ressuscitée :

«Dieu le Père a montré la grandeur du don qu'il va faire au genre humain en son Fils unique Jésus. Ce qui s'est passé en lui – la résurrection des morts, la vie éternelle dans la sagesse véritable –, Dieu va le réaliser pour la race des hommes. La foi en l'espérance future signifie que nous croyons en la résurrection des morts et à la vie sans fin que nous sommes destinés à recevoir dans la science véritable et une vie sans péché[1].»

1. *Briefe*, 29,4-11.

« Alors que les hommes ne sont naturellement que poussière, ils sont destinés à recevoir la spiritualité des saints anges[1]. »

Celui qui, dès cette vie, nous donne accès à l'espérance future est évidemment le Christ « origine et consommateur de notre foi[2] » et qui est lui-même « notre attente, notre espérance, notre résurrection[3] ». Le Christ nous communique cette espérance par le baptême[4] qui opère en nous la rémission des péchés[5] et nous donne dès maintenant « les arrhes de la vie future[6] ».

Il reste à chaque baptisé à actualiser dans sa vie cette libération du péché rendue possible par la mort du Christ :

« Seul Notre Seigneur est le monde nouveau de la vérité. Il a détruit la mort, anéanti le péché, fait mourir le vieil homme pour que les hommes ne pèchent plus. Il n'a pas anéanti le péché en cette vie, mais dans la vie nouvelle..., car nous voyons que l'égarement continue à sévir, que tout homme est asservi au péché et reste soumis à la mort[7]. »

Un long travail de libération s'impose donc contre cet esclavage ; il se concrétise dans une lutte sans merci contre les passions mauvaises qui sont à la racine de tous les actes peccamineux et empêchent l'âme d'accéder à la vie nouvelle dans l'Esprit.

Les étapes essentielles de cette montée vers le monde spirituel sont au nombre de trois. Elles sont calquées sur la division tripartite des hommes en corporels (ou somatiques), psychiques et spirituels (ou pneumatiques) :

« Il y a trois ordres d'hommes dénommés par l'Écriture : les somatiques, les psychiques, les pneumatiques... Est appelé somatique celui qui s'adonne aux convoitises de la nature du corps. Est psychique celui qui s'est élevé au-dessus des choses du corps et s'est approché de l'ordre de la nature de l'âme, c'est-à-dire qui

1. *Gespr.*, 38,20. Cette doctrine, basée sur *Matth.* 22,30, est traditionnelle chez les Pères de l'Église. Cf. CLÉMENT D'ALEXANDRIE, *Extraits de Théodote*, 22,3 (éd. et trad. F. Sagnard), *SC* 23, 1948, p. 100 ; *Pédagogue*, Liv. I, 36,6 (éd. et trad. H.I. Marrou et M. Harl), *SC* 70, 1960, p. 178.

2. *Briefe*, 28,6-7. // 3. *Gespr.*, 125,15. // 4. *Trakt.*, 17,23.

5. *Id.*, 35,25. // 6. *Briefe*, 35,14. // 7. *Id.*, 32,19 – 33,6.

combat contre la méchanceté de ses pensées, met un frein à son âme pour ne pas suivre ses instincts. Est spirituel celui qui est au-dessus des pensées corporelles et dont tout l'entendement se meut dans la sagesse qui est en Dieu[1].»

Une autre division qui précise et prolonge la précédente est celle désignée par les deux mots syriaques *dak^{h}yûto* et *chafyûto* que le P. Hausherr traduit respectivement par «pureté» et «intégrité[2]».

Parvenu à l'étape spirituelle, l'homme possède l'humilité vraie, il a atteint la perfection de l'amour qui est d'aimer Dieu uniquement pour lui-même :

«Il a quitté la conduite de ce monde et commencé à être dans la conduite de ce monde-là, dont la conduite est la vision véritable de ses mystères[3].»

2. Perspective propre à chaque œuvre

Comment et sous quel éclairage particulier l'auteur présente-t-il sa doctrine dans chacune de ses œuvres?

a) *Dialogue sur l'âme et les passions des hommes.*

D'entrée de jeu le titre laisse deviner le centre d'intérêt de ce *Dialogue*. Il s'adresse à de jeunes disciples désireux de progresser vers la parfaite spiritualité. Ils ont dépassé le stade «somatique» et pourtant restent empêtrés dans une

1. *Dial.*, 13-14. Le texte biblique bien connu où est énoncée cette trichotomie est *I Thess.* 5,23. En fait S. Paul n'a pas voulu enseigner ici une conception trichotomique de l'homme. Par cette énumération il a voulu simplement signifier la totalité de l'homme, c'est-à-dire toutes les parties de son être. – Sur l'histoire de l'interprétation de ce texte, cf. André-Marie FESTUGIÈRE, «La trichotomie de I Thess. 5,23 et la philosophie grecque», *RSR* 20, 1930, p. 385-415; Jacques DUPUIS, «l'esprit de l'homme». Étude sur l'anthropologie religieuse d'Origène, *Museum Lessianum*, Section théologique 62, Bruges 1967.

2. Pour la *chafyûto*, nous proposons une autre traduction cf. *inf.* p. 42-43.

3. *Dial.*, 61,26. Sur l'importance de l'humilité dans la spiritualité syriaque, cf. *sup.* p. 25 et n. 2.

lutte, apparemment sans issue, contre leurs passions et toutes sortes de pensées qui les empêchent de connaître la vraie paix intérieure. La réponse de l'auteur consiste à leur montrer, à l'aide d'exemples concrets, comment y voir plus clair dans cet enchevêtrement des passions, à les distinguer non seulement d'après leur degré de malignité mais aussi d'après leur origine : viennent-elles du corps ou de l'âme par l'entremise du corps ou encore de l'âme seule? Comment les neutraliser les unes par les autres, quels antidotes employer pour obtenir la guérison de l'âme et la rendre apte à recevoir de plus hauts dons spirituels? L'étape pneumatique n'est pas ignorée; c'est même dans ce *Dialogue* que l'on commence à avoir des éclaircissements sur la *dak^{h}yûto* et la *chafyûto* dont il a été question ci-dessus. Cependant on peut dire que la plus grande partie de ce *Dialogue* s'intéresse avant tout à l'étape psychique qui est l'étape intermédiaire, celle où la lutte est la plus difficile à mener, où les illusions sont fréquentes et plus malaisées à déceler, où enfin Satan a le plus de prise sur le disciple.

b) *Lettres de Jean le Solitaire.*

La première de ces trois *Lettres* entend répondre à la question suivante : puisque, par le baptême, Dieu nous a communiqué en Jésus-Christ la plénitude de la vie nouvelle selon l'Esprit, comment se fait-il que le péché ne soit pas encore anéanti et que cette vie nouvelle n'apparaisse pas dès ici-bas? La réponse de Jean tient essentiellement dans une comparaison à laquelle nous avons fait allusion précédemment : celle de l'embryon, qui, après sa gestation dans le sein maternel, vient au monde avec un corps et des membres entièrement formés et parfaitement aptes à remplir leurs fonctions[1]. Le baptême qui agit en nous par

1. *Gespr.*, 9,12 s. Pour les autres références aux textes où cette comparaison est développée, cf. STROTHMANN, p. 65.

«l'incubation d'une force secrète[1]» nous introduit dans le processus de la vie ressuscitée inaugurée par le Christ. Cette vie n'apparaît pas pour le moment, mais elle est à l'œuvre, et ce que nous avons à faire est d'entrer dans ce travail de transformation, qui peu à peu nous fait devenir ce que nous sommes déjà dans le Christ.

La vie spirituelle est considérée ici selon la perspective de l'économie du salut que le Christ est en train d'accomplir en nous. A ce niveau aussi on retrouve deux des trois étapes de la vie spirituelle. Si le baptême représente, au moins en droit, le stade spirituel parce qu'il nous donne les arrhes de la vie ressuscitée, l'étape psychique qui est celle de la crainte du jugement et du châtiment divins, étape pédagogique, est représentée par le règne de la Loi ou par l'économie de l'Ancien Testament.

La deuxième *Lettre,* au lieu de mettre l'accent sur la vie ressuscitée que le baptême nous donne dès maintenant, insiste sur la lutte que le baptisé doit mener contre les passions mauvaises et la nécessité du renoncement. Jean y envisage donc plutôt l'aspect pédagogique du baptême, ce qui correspond au stade psychique.

La troisième *Lettre* tente de faire comprendre la manière dont nous saisissons les réalités de la vie future. Pour cela, Jean se sert de la comparaison du rapport existant entre la voix et la parole. Ce qui l'amène à parler de l'âme et du corps, puis, en une longue digression, de l'union de l'humanité et de la divinité dans le Christ, pour revenir enfin à l'âme humaine dont il s'efforce de prouver l'existence.

c) *Trois Traités de Jean le Solitaire.*

La division tripartite n'apparaît pas dans le premier *Traité*. Ce qui y est décrit est ce que l'auteur appelle «l'arme

1. *Briefe,* 35,7; *Dial.,* 88,10-14; cf. HAUSHERR, note 1 de la traduction, *OCA* 120, p. 101.

de la quiétude[1] », qui permet à l'homme d'anéantir non seulement les passions mauvaises, mais aussi toute pensée vaine et « l'établit dans le port de la vie et de la joie[2] ».

Les deux autres *Traités* s'attachent à démontrer la nécessité et les effets du baptême. Ils le mettent aussi en parallèle avec le baptême de Jean-Baptiste pour montrer les caractéristiques et les différences de l'un et de l'autre. C'est précisément ces différences qui manifestent la progression de l'un à l'autre.

« De même que le baptême de Jean conduisait au don de notre baptême, de même notre baptême conduit aux mystères de la vie nouvelle[3]. »

On aura donc ici la séquence suivante : ancienne Loi – baptême de Jean – baptême chrétien[4].

d) *Dialogues et Traités.*

Avec ce dernier groupe de textes – c'est celui qui est traduit dans ces pages –, la perspective se déplace à nouveau vers l'économie divine et là encore il y a progression. Les trois premiers *Dialogues* exposent les caractéristiques de l'économie du monde d'en haut, qui est celui des anges et sera celui de l'homme ressuscité[5]. Le *Dialogue* IV[6] nous ramène sur terre avec l'économie de l'Ancien Testament, qui est celle de la pédagogie divine dans le peuple d'Israël. Cette économie est présente aussi dans la création et se manifeste par la prodigieuse variété des œuvres de Dieu. Le *Dialogue* V tente d'expliquer pourquoi Dieu agit avec nous de façon progressive et ne dispense ses dons que

1. *Trakt.*, 4,17. *Chelyo* peut signifier aussi la vie contemplative et solitaire.

2. *Id.*, 9,12-13. // 3. *Id.*, 35,21-23. // 4. *Id.*, 27,25-28.1 s.

5. La caractéristique fondamentale de l'économie du monde d'en haut est la parfaite spiritualité et donc la simplicité. A l'opposé, le corps est matériel, composé d'éléments.

6. *Gespr.*, 35-59.

graduellement[1]. Le *Dialogue* VI montre que c'est par une médiation que se réalise l'économie divine, ce qui amène Jean à expliquer la relation corps-esprit dans la perception des réalités visibles et invisibles et le mode de connaissance qui sera celui du corps dans le monde nouveau[2].

Ces six *Dialogues* sont suivis de deux *Lettres.* La première, de Jean à son disciple Thomasios, peut se résumer en cette phrase : c'est par la foi seulement que nous pouvons nous approcher du mystère de l'économie du Christ. La foi y est présentée comme le parfait instrument de connaissance pour aborder les réalités divines ici-bas[3]. La deuxième *Lettre* est adressée par Thomasios à Jean pour demander à ce dernier des explications sur la portée universelle du mystère du Christ et sur l'attitude que nous devons avoir à son égard[4].

D'où les trois *Traités* qui terminent cette série de *Dialogues* et de *Lettres.* Le premier *Traité* montre la perfection et l'universalité dans le temps et l'espace, de la Personne, de l'action et de l'enseignement du Christ[5]. Le deuxième répond à des questions précises : pourquoi l'Incarnation ? Comment comprendre le combat du Christ contre Satan au désert ? Pourquoi le mystère de la Croix[6] ?

Le troisième *Traité* clôt toutes ces considérations par un tableau grandiose de la dimension cosmique et universelle du Christ. Le Christ est au commencement, au milieu et à la fin de ce mouvement qui conduit l'homme jusqu'à sa consommation finale dans le monde de Dieu[7]. Pour tout résumer en un mot, c'est lui « qui est notre espérance[8] ».

1. *Id.,* 59-69. On pourrait appeler cette économie : économie de la création.

2. *Id.,* 69-81. || 3. *Id.,* 82-89. || 4. *Id.,* 90-93.

5. *Id.,* 94-113. || 6. *Id.,* 113-125. || 7. *Id.,* 126-141.

8. *Id.,* 20,1.

3. La vie selon l'espérance de Jésus-Christ

La brève esquisse que l'on vient de présenter a fait apparaître immédiatement l'importance de la trichotomie anthropologique corps-âme-esprit dans la description des étapes de la vie spirituelle comme la conçoit Jean d'Apamée. A première vue, il eût été tout indiqué d'adopter tel quel un cadre aussi commode, d'autant plus que c'est l'auteur lui-même qui semble en avoir fait l'ossature de son système. En fait, il importe avant tout de saisir comment s'articulent les éléments de cette trichotomie, car c'est là que réside, croyons-nous, l'intérêt de la synthèse doctrinale que ces quelques pages vont tenter de décrire.

a) *La situation de l'âme.*

L'idée fondamentale concerne la situation de l'âme à laquelle il a été fait allusion plus haut à propos du *Dialogue sur l'âme et les passions des hommes*. Dans ce *Dialogue,* il est dit en effet que «l'âme est sise entre la corporéité et la spiritualité[1]». Bien que ce thème soit «très ancien et très traditionnel[2]», il va nous permettre d'éclairer plusieurs conceptions de notre auteur.

En elle-même l'âme est certes une entité spirituelle, ce qui la différencie radicalement du corps, qui est matériel. N'étant pas composée des éléments matériels dont le corps a besoin pour se maintenir dans l'existence[3], elle est

1. *Dial.,* 11,24-25.

2. Pierre HADOT, *Porphyre et Victorinus,* I, *Études augustiniennes,* Paris 1968, p. 169. L'auteur précise en note : «... la doctrine provient d'une exégèse de Timée, 35 a, passage dans lequel Platon affirme que l'âme du monde est ἐν μέσῳ de la substance indivisible, c'est-à-dire de l'intelligible, et de la substance divisible, c'est-à-dire du sensible... Dans le néo-platonisme la doctrine devient générale, cf. PLOTIN, *Ennéades* IV 8 (7), etc.». – On peut ajouter PHILON D'ALEXANDRIE, *De specialibus legibus,* I, 201, «Les œuvres de Philon d'Alexandrie», 24, Le Cerf, Paris 1975, p. 128.

3. *Gespr.,* 4,19-20.

au-dessus de toutes les variations de ce monde, et lorsqu'elle quitte le corps, elle se trouve hors du monde matériel « dans l'espérance qui est hors de ce monde[1] ».

Tout autre est sa condition tant qu'elle est unie au corps. L'image qui revient le plus souvent à ce propos est l'image platonicienne bien connue du corps-prison :

« Par nature, l'âme qui a été créée splendide et excellente est invisiblement captive dans le corps[2]. »

Il faut immédiatement préciser que, pour Jean, cette situation n'est pas la conséquence d'une chute dans la matière. Bien au contraire, c'est Dieu qui a mis l'âme dans le corps[3]. Elle y est même si bien cachée que Satan ne la voit pas[4]. Mais alors comment peut-il l'atteindre? La réponse de Jean consiste à dire que l'activité de l'âme s'exerçant par le corps, c'est par l'intermédiaire de ce dernier que Satan peut atteindre l'âme :

« Parce que la vigueur naturelle de celle-ci (= l'âme) est liée au corps, surtout au cœur et au cerveau, c'est à l'un de ces organes qu'il (= le démon) s'en prend soit lui-même directement soit par l'intermédiaire d'un autre démon ou d'un magicien instrument de ce démon, en vue d'entraver la parole ou de brouiller l'entendement. Car ce sont eux les sources des pensées et de la parole... Si ces organes viennent à être endommagés, l'entendement est brouillé et la parole est bloquée[5]. »

1. *Id.*, 5,9-10.

2. Sans entrer ici dans les controverses sur la nature de l'âme chez Platon et ses successeurs, on peut se faire une idée de la manière dont ce genre de problème était abordé du temps de Jean d'Apamée, par la conférence d'évêques dont Origène nous a laissé comme le procès-verbal dans l'*Entretien avec Héraclide*, éd. et trad. Jean Scherer, *SC* 67, Paris 1960. Par exemple, une des questions soulevées est la suivante : « L'âme est-elle le sang? » A cette question Jean répond par la négative. Pour lui, le sang n'est que le support biologique qui véhicule la vie dans le corps de l'homme. Cf. HERMÈS I, p. 119; Michel PERRIN, *L'homme antique et chrétien. L'anthropologie de Lactance 250-325*, *Théologie historique* 59 (1981), Beauchesne, p. 252-287.

3. *Dial.*, 3,19-20; *Gespr.*, 8,18-19.

4. *Gespr.*, 77,17.

5. *Id.*, 80,1 s. Les éléments dont est composé le corps ainsi que les

Dans cette entité spirituelle qu'est l'âme, on peut donc distinguer deux parties : 1) le centre invisible et inaccessible aux démons, qui est proprement le domaine de l'esprit, 2) une zone périphérique qui est en contact avec le corps, spécialement avec le cœur et le cerveau – ailleurs l'auteur ajoute les reins –, par où s'exerce l'activité de l'âme, et c'est là précisément que Satan déploie ses artifices.

Satan n'est pas le seul à profiter de ce contact de l'âme avec le corps. Toute une série de textes affirment que c'est aussi par l'intermédiaire du corps que les passions viennent contaminer l'âme :

« L'âme n'a pas les passions mauvaises de par sa propre nature; elle les reçoit de causes nombreuses et extérieures par l'entremise du corps[1]. »

b) *La nature humaine :*

Si telle est la condition de l'âme dans le corps, on comprendra sans peine pourquoi Jean qualifie presque toujours la nature humaine d'inférieure[2], faible[3], indigente[4]. Étant donné le destin glorieux qui nous est réservé dans le monde à venir, notre condition actuelle ne peut être que misérable.

D'où la question : pourquoi Dieu qui nous destinait à connaître une telle gloire auprès de lui, n'a-t-il pas agi avec nous comme avec les anges, en nous établissant dès le début dans ce monde glorieux qui est le leur?

La réponse se situe à deux niveaux. D'abord à celui de la nature humaine en général. Dieu nous a créés dans une nature inférieure pour que cette infériorité stimule la quête de notre liberté dans son aspiration vers le monde d'en haut. Cette aspiration inscrite par Dieu dans notre nature

maladies ont une influence non sur la nature de l'âme, mais sur son activité; cf. HERMÈS IV, p. 58.

1. *Briefe,* 78,12 s.

2. *Gespr.*, 22,13; 24,1; 38,16; 62,9.

3. *Id.,* 23 (dern. lig.). // 4. *Id.,* 35, Dial. IV, lig. 9.

signifie la possibilité d'une progression graduelle dans le temps tout au long des générations humaines[1]. Le deuxième niveau concerne la connaissance. L'existence d'un monde créé hiérarchisé et des multiples degrés de connaissance qu'il implique, est même ce qui conditionne la possibilité de notre connaissance :

« Si ces deux mondes (celui des anges et celui des hommes) étaient égaux en grandeur, on ne pourrait même pas reconnaître cette grandeur..., que pourraient-ils connaître s'il n'y avait rien de plus grand ni de plus petit qu'eux pour s'y mouvoir et saisir les distinctions inhérentes à la connaissance[2] ? »

« S'il n'y avait qu'un seul degré de connaissance, ce serait une connaissance morte, parce qu'elle n'aurait pas d'impulsion pour la mettre en mouvement... elle resterait figée dans une torpeur muette... il n'y aurait plus rien de vivant, tout serait mort[3]. »

Dieu n'en est pas resté là. Non seulement la nature corporelle de l'homme porte en elle cette aspiration vers le monde d'en haut et vers la connaissance, mais cette aspiration devient espérance d'accéder au monde de l'invisible grâce aux adversités dont est pleine la vie terrestre :

« Dieu a voulu contraindre le corps à ne pas réduire son espérance à ce monde-ci, mais à implorer le don de l'invisible[4]. »

c) *L'économie salvifique.*

Comme on vient de le voir, c'est la position médiane de l'âme entre le corps et l'esprit qui expose l'homme à l'action de Satan et à l'asservissement aux désirs du corps et risque de le détourner du destin glorieux à lui promis.

1. *Id.*, 22-23. // 2. *Id.*, 36,17 s.

3. *Id.*, 37,8 s. Sur l'âme conçue comme ἐνέργεια ou source de mouvement, cf. Hermès III, p. xxiv et 17. Cette notion de mouvement (κίνεσις) est très importante dans le platonisme et le néoplatonisme. Pour Plotin « tout mouvement est un désir » ἡ γὰρ κίνησις... ἔφεσις (III,9,3-4), René Arnou, *Le désir de Dieu dans la philosophie de Plotin*, nouvelle édition, Rome 1967, p. 94. « La pensée n'est pas seulement un acte mais un mouvement (κίνησις) qui suppose une motion... », *ibid.*, p. 106.

4. *Gespr.*, 62,18.

Effectivement, dès les origines, l'humanité a préféré la servitude sous le joug de Satan et des Puissances rebelles[1]. La communication se faisait uniquement du côté du corps, ce qui avait pour effet d'interdire à l'homme l'accès au centre de lui-même. C'était l'errance loin de Dieu, le cloisonnement, chaque passion mauvaise étant une barrière empêchant l'âme de voir autre chose que le corporel[2]. L'action du Christ a consisté à briser toutes les barrières afin de permettre à l'âme «de voir le mystère de ce monde-là[3]».

Le Christ n'a pu mener à bien ce décloisonnement en faveur de l'homme que parce que lui-même l'avait déjà réalisé en sa propre personne :

«En naissant dans notre monde, Notre-Seigneur n'a pas pu permettre que se dressât devant lui cette barrière de la conduite mauvaise, mais il l'a percée par la puissance de sa science et il fut en dehors d'elle dès le début de sa naissance. Et par la brèche qu'il y fit, resplendit au-dedans de notre monde, une lumière sortie de la lumière de ce monde-là et qui est l'espérance de Dieu[4].»

Il appartient à la liberté de chacun d'actualiser pour son propre compte ce retour au centre lumineux désormais accessible grâce à l'économie salvifique du Christ. Sur cette voie les obstacles ne manquent pas. D'abord Satan est toujours actif. Il ne faut pas cependant majorer son pouvoir. Comme nous l'avons vu[5], il ne peut agir directement sur l'âme qu'il ne voit pas. Ne pouvant atteindre que les organes par lesquels s'exerce l'activité de l'âme, ce sera seulement cette activité qui sera perturbée. Certes, cela n'est pas sans conséquence sur l'exercice de la liberté, qui peut être entravé. Il reste cependant que le pouvoir de décision n'est pas annihilé par l'action de Satan. Sinon, cela équivaudrait à un déterminisme destructeur de toute liberté

1. *Id.*, 123-125. // 2. *Dial.*, 61,16 s. // 3. *Id.*, 62,14.
4. *Id.*, 62,22 – 63,1. // 5. Cf. *sup.*, p. 36.

et ferait de l'homme un être aliéné dans le mensonge, engagé dans un destin fermé à toute espérance.

d) *Les passions :*

L'autre genre d'obstacle, de «barrière» comme dit Jean, est constitué par les passions. Il existe en syriaque deux mots pour exprimer ce concept de passions : 1) *ḥacho,* d'une racine qui signifie souffrir et 2) *zaw°o* qui signifie mouvement, impulsion ou même pensée quand il s'agit d'une opération de l'intellect. Au niveau du corps, il s'agira d'un besoin biologique ou d'un instinct comme l'instinct sexuel[1]. Ce pourrait être aussi une souffrance physique ou morale. Ainsi la crainte est une passion qui fait souffrir[2]. Au niveau de l'âme, on aura les passions proprement dites, au sens courant de ce terme la passion de la colère, de l'envie, de l'orgueil... Enfin au niveau de l'esprit, la passion du zèle, de la joie, de l'humilité, de l'amour de Dieu et des hommes à son degré le plus élevé. Cela couvre en somme toute la sphère de l'agir et du pâtir dans l'existence humaine, selon la triple dimension de l'homme corps-âme-esprit.

En nous plaçant maintenant dans la perspective de notre point de départ, c'est-à-dire de la position médiane de l'âme entre le corps et l'esprit, on doit distinguer non seulement les passions du corps et celles de l'âme, mais aussi les passions de l'âme qui lui viennent par le corps et s'exercent par lui. La classification des passions étant fondée ici sur la manière dont elles prennent naissance et s'exercent, la distinction entre passions bonnes et passions mauvaises passe au second plan. C'est ainsi que l'on trouve énumérées côte à côte la colère, le zèle, la jalousie, la pitié[3]. Tant que ces passions, mêmes bonnes en elles-mêmes, orientent si peu que ce soit, l'âme vers le corporel, elles l'empêchent de communiquer totalement avec l'esprit.

1. Cf. *sup.*, p. 38 note 3. // 2. *Briefe,* 47,12-13. // 3. *Dial.,* 43,9 s.

e) *La conduite vertueuse et les dons divins.*

Mais il y a plus : appartiennent à la catégorie du psychique :

1. ce que Jean appelle la conduite vertueuse, *dubboro chafîro,* c'est-à-dire les actions bonnes que l'âme accomplit par l'intermédiaire du corps[1];

2. les dons divins eux-mêmes, comme le don des larmes, de prophétie, de guérison relèvent de cette même catégorie, parce qu'ils se manifestent par l'intermédiaire du corps ou ont quelque retentissement sur lui[2].

Il ne s'agit plus ici d'obstacles au même titre que la « barrière » des passions mauvaises. C'est seulement leur lien avec le corps qui, si ténu soit-il, leur interdit l'accès au domaine propre de l'âme, qui est la conduite selon l'esprit. Cependant il est un cas où ces actions vertueuses et ces dons divins se transforment en obstacles : c'est lorsqu'ils servent de prétexte à une passion redoutable, spécifique du stade psychique : la vaine gloire.

f) *La vaine gloire.*

Notre auteur semble considérer cette passion comme la plus tenace et la plus insidieuse de toutes. A juste titre. En effet, si elle n'avait pour objet que des valeurs purement humaines, comme la bonne réputation, la réussite intellectuelle ou la position sociale, elle pourrait être démasquée sans peine. Or, ainsi qu'on vient de le dire, cette vaine gloire peut utiliser même les dons spirituels visibles pour arrêter toute progression vers le stade spirituel. Le bénéficiaire de ces dons sera tenté de s'en prévaloir auprès des autres, de juger ceux-ci inférieurs à lui, cela pourra même le conduire jusqu'à concevoir à leur égard une haine mortelle[3]. Ce sera alors la régression vers l'opacité, le cloisonnement caractéristique du stade somatique.

1. *Id.,* 48,12 s. // 2. *Id.,* 10-11. // 3. *Id.,* 11.

Le combat propre au stade psychique doit aboutir à l'élimination totale de la vaine gloire. C'est seulement lorsque cette passion aura été jugulée que l'homme psychique accédera à la pureté – en syriaque *dak^{h}yûto*. Cet état n'est encore que «la condition négative de la vie de l'homme nouveau[1]». L'homme s'est détourné non seulement des passions du corps, mais aussi des passions de l'âme qui s'exercent par le corps. Il parvient alors au stade spirituel[2].

g) *Le stade spirituel.*

Ce stade est caractérisé par un état que Jean appelle la *chafyûto*. Le P. Hausherr le traduit par «intégrité», traduction qui peut se justifier pour souligner que l'homme parvenu au stade spirituel recouvre la pureté première de son âme[3].

Dans nos *Dialogues et Traités*, les trois passages où est mentionnée la *chafyûto* ne nous permettent guère d'en donner une définition plus précise. Dans le *Dialogue* VI où nous le rencontrons pour la première fois, ce mot a le sens de «purification totale», qui donne accès à l'intimité divine et rend «les sens de l'âme» capables de percevoir «les mystères du monde à venir[4]». Ce texte ne fait que confirmer l'appartenance de la *chafyûto* au stade spirituel, dont la caractéristique est précisément l'ouverture totale de l'âme sur l'espérance future. Le deuxième texte souligne la nécessité de la foi comme condition préalable de cette

1. Paul Harb, «Doctrine spirituelle de Jean le Solitaire (Jean d'Apamée)», *Parole de l'Orient,* 1971, nº 2, p. 244.

2. *Dial.,* 6,15-7,9.

3. Il s'agit non de la pureté de l'âme avant le péché originel, mais de «la pureté de l'âme conçue comme une essence spirituelle non unie au corps», P. Harb, art. cit., p. 244, note 66. Il faut préciser – et Jean ne manque pas de le dire – que le recouvrement de cet état, qui est le but de tout l'effort ascétique, est avant tout un don de Dieu (*Dial.,* 24,13 s).

4. *Gespr.,* 75,22.

purification[1]. Enfin, en un troisième passage, il est dit que le modèle de cette pureté totale est Notre-Seigneur lui-même[2].

Nous pouvons préciser davantage en nous référant encore une fois à notre point de départ. Étant donné la position médiane de l'âme entre le corps et l'esprit, non seulement il faut, pour parvenir au stade spirituel, supprimer la «barrière» des passions mauvaises, mais la logique du processus ainsi engagé exige encore la disparition complète de tout le retentissement extérieur que la conduite vertueuse et les dons divins peuvent exercer sur le corps. Il en résulte que dans l'âme la communication se fait désormais sans restriction du côté de l'esprit. L'opacité du somatique ayant totalement disparu, cet état d'«intégrité», dont nous parlions plus haut, connote donc une idée de «transparence[3]».

Corrélative de cette «transparence» intérieure, la caractéristique de la conduite de l'homme spirituel sera l'absence de toute manifestation extérieure. Par définition cette conduite est invisible aux hommes et à Satan[4]. Le spirituel est donc inaccessible aux attaques diaboliques et même, comme le dit saint Paul, «il juge tout sans être jugé par personne (*I Cor.* 2,15), puisque aussi bien personne ne le connaît, ni sa conduite glorieuse n'est vue des hommes[5]». Son jugement et son attitude à l'égard du prochain dérivent de cette «transparence» spirituelle qui, en lui permettant de «percevoir la science des mystères de l'autre monde[6]», l'a rendu «sensible à l'espérance des hommes[7]», et c'est pourquoi «il s'attache à eux avec une charité

1. *Id.*, 85,13. // 2. *Id.*, 96,19.

3. Cela correspond au sens de la racine en syriaque et en arabe où elle signifie l'état de limpidité d'une surface (v.g. le ciel) qui n'est ternie par la présence d'aucun corps étranger susceptible d'arrêter ou de diminuer la diffusion de la lumière.

4. *Dial.*, 12,15 s. // 5. *Id.*, 7,6-8. // 6. *Id.*, 55,11. // 7. *Id.*, 70,10.

parfaite[1]». Son humilité est devenue si totale qu'elle exclut tout signe extérieur qui pourrait la manifester[2].

Après la *chafyûto,* existe-t-il une étape ultérieure? Jean semble le suggérer, lorsqu'il parle de ce qu'il appelle «la conduite de l'homme nouveau» où se produisent «les révélations des mystères[3]». En quoi consistent ces révélations divines? Jean ne le dit nulle part. Une telle discrétion est tout à fait dans la logique de sa doctrine, puisque, comme nous venons de le voir, la conduite de l'homme spirituel est essentiellement invisible.

«Arrivé à la paix de la charité, son âme exulte dans la cessation de la guerre secrète. Désormais, c'est comme la conduite d'après la résurrection[4]», et sa vie connaît «ce miracle d'être, dans la fugacité de l'instant, toute pénétrée par l'éternel, fleuve à son estuaire, déjà confondu avec la mer sans rivage[5]».

Telle est, pour l'essentiel, une des caractéristiques de cette doctrine spirituelle de Jean d'Apamée. Sans avoir voulu tout dire, nous avons tenté d'en dégager l'unité et la cohérence. Nous osons espérer qu'ainsi a pu apparaître en pleine lumière l'originalité d'un auteur fort peu connu jusqu'à présent et qui fut pourtant le précurseur de toute une lignée de maîtres spirituels d'Orient, dont le plus célèbre n'est autre que le grand mystique nestorien, Isaac de Ninive (VIIe s.)[6].

1. *Id.,* 72,14-15. // 2. Cf. *sup.,* p. 25 et n. 2. // 3. *Dial.,* 7,4.
4. *Briefe,* 81,4-5.
5. F. MAURIAC, *Sainte Marguerite de Cortone,* Paris 1945, p. 44.
6. Sur les développements ultérieurs de la doctrine spirituelle dans la ligne de Jean d'Apamée, cf. A.J. WENSINCK, *Bar Hebraeus's Book of the Dove,* Leyden 1919; du même, *Mystic Treatises by Isaac of Nineveh,* translated from Bedjan's Text with an Introduction and Registers, Amsterdam 1923; Élie KHALIFÉ-HACHEM, «Isaac de Ninive», *DS* VII (1970), 2041-2054.

NOTES COMPLÉMENTAIRES

I. Jean d'Apamée a-t-il écrit ses œuvres en syriaque ou en grec? (Strothmann, p. 45-52)

Certains détails de vocabulaire, tels que les mots grecs transcrits en syriaque ou une traduction faite sur une lecture fautive d'un mot grec (cf. Hausherr, *OCA* 120, p. 54, note) ainsi que les noms grecs ou grécisés des interlocuteurs de Jean, ont pu faire soupçonner que la langue originale de ses œuvres était le grec.

Sans avoir à rappeler ici les arguments invoqués à ce sujet, on s'en tiendra aux conclusions de Strothmann pour qui Jean a écrit ses œuvres en syriaque.

Cela n'empêche nullement de penser que, si Jean n'a pas écrit en grec, il était capable de lire et même de parler cette langue. Par ailleurs sa connaissance des philosophes grecs n'implique pas forcément qu'il ait eu à lire leurs ouvrages. Il pouvait tout simplement utiliser des recueils de textes classés par sujets ou par centre d'intérêt, sortes de manuels ou d'aide-mémoire à l'usage des lettrés et des auteurs de ce temps-là.

II. Quelle version syriaque de la Bible utilise Jean? (Strothmann, *ibid.)*

Il est souvent difficile et quelquefois impossible de répondre à cette question, parce que les auteurs spirituels anciens citent la Bible très souvent de mémoire ou utilisent des versions qui avaient cours dans leur confession religieuse propre et dont il ne reste rien.

Ce qu'on peut dire à propos de Jean, c'est qu'il connaissait la version syriaque désignée du nom de «pechitta», c'est-à-dire la «Simple», exécutée à Édesse vers 150 et appelée ainsi, croit-on, pour la distinguer de la Syrohexaplaire (version syriaque des LXX faite d'après les Hexaples d'Origène).

Ainsi en deux passages scripturaires il cite d'après la Pechitta : *Ps.* 119,101 (texte syr. 7,17) et *Éphés.* 2,16 (texte syr. 121,20).

Quant à *Is.* 9,6, ce ne peut être une citation de la Syro-hexaplaire, comme l'indique Strothmann, puisque cette version date de la 2e décennie du VIIe s. Les titres du Christ énumérés dans ce passage viennent peut-être «d'une nomenclature semblable traduite du grec» : cf. DE HALLEUX, «Le milieu historique de Jean le Solitaire», *OCA* 221.

DIALOGUES ET TRAITÉS

I

Premier Dialogue de Mar Jean le Solitaire avec le bienheureux Thomasios sur l'espérance future.

Voici l'origine de ces Dialogues : Thomasios était un homme distingué auquel ses parents avaient eu soin d'assurer une excellente éducation grecque. Néanmoins il se distinguait bien plus par sa foi au Christ que par le savoir humain. Après avoir achevé le cycle d'études correspondant à son jeune âge, il se prit d'amour pour la vie monastique et solitaire. Il se trouvait dans sa solitude de Palestine lorsqu'un frère d'Orient, en route vers Jérusalem, passa par chez lui. Ce frère avait avec lui un livre intitulé *Hymnes*[1]. Comme Thomasios s'intéressait à cet ouvrage et désirait en connaître l'auteur, il décida d'avoir une entrevue avec celui-ci. Arrivé chez lui, ils échangent les salutations d'usage et, la prière achevée, Thomasios dit :

« Mon cher, j'ai reçu une formation philosophique qui est un amalgame de toutes sortes d'opinions. Étant donné que nos yeux ne nous permettent pas de dépasser le

1. Titre d'un ouvrage perdu. Il en sera encore question en *Gespr.*, 6, dern. lig. Une citation en sera faite en *Gespr.*, 91, 9-12.

domaine du visible, je voudrais savoir ce qu'est l'incorporel. **2** Bien des poètes[1], lorsqu'ils décrivent l'espérance des âmes après leur sortie du corps, enferment à nouveau celles-ci dans un monde corporel. Ils les placent hors de ce monde-ci dans un air subtil[2], au sein de doux zéphyrs et au milieu de toutes sortes d'agréments. Mais comme le savoir de ces poètes ne dépasse pas le domaine du corporel, comment peut se vérifier leur théorie disant que les âmes, une fois sorties du corps par l'anéantissement de la vie, reçoivent sous une autre forme l'espérance du monde corporel? Le corps étant naturellement dense[3], il lui a été donné de respirer un air plus subtil que lui. Mais à l'âme, parce que, selon eux, elle est plus subtile que le corps, ils donnent encore l'air du monde corporel. Leur réflexion étant bornée au corporel, ils n'ont pas eu l'idée de définir l'incorporel. Au contraire, fondant leur espérance sur le corporel, ils n'ont célébré le repos des âmes que verbalement, en décrivant l'air qu'elles respirent hors de ce monde non pas dense mais subtil, non pas agité mais calme, sans parler d'autres traits relatifs à la corporéité et non à la spiritualité. Tout en voulant exprimer l'incorporel, leur pensée était en fait mue par le corporel. Pourtant il eût été normal que des gens qui professent l'existence de l'âme, concluent qu'elle est supérieure à tout le corporel et qu'à sa sortie du corps, ce n'est pas, me semble-t-il, dans des

1. Le mot syriaque est la transcription du grec ποιηταί; Strothmann l'a traduit par «Philosophen». Une traduction littérale nous semble plus indiquée. Dans l'Antiquité l'autorité des poètes était immense, la poésie étant considérée comme le canal privilégié pour la transmission des connaissances héritées des premiers âges de l'humanité. Les premières cosmogonies et théories sur la constitution de la matière et des êtres vivants nous ont été transmises sous forme de poèmes. Ce mot revient en *Gespr.*, 4, 25 et 5, 21. – Par ailleurs, le syriaque a aussi le mot *fîlûsofo* qui est la transcription du grec φιλόσοφος, cf. *Gespr.*, 11, 14.

2. Cet «air subtil» correspond à l'éther des Grecs.

3. Le corps est dense, c'est-à-dire matériel, par opposition à la nature subtile ou spirituelle de l'âme.

éléments étrangers à elle qu'elle trouve son repos, puisqu'elle n'est pas composée. L'être composé est celui dont la structure n'est pas simple, ni unique ce qui le maintient dans l'existence. S'il est simple, il n'est pas composé, et s'il est composé, il n'est pas simple. Ce que nous appelons composé, parce que plusieurs éléments entrent dans sa **3** composition, a sa vie liée à ces éléments, car sans eux il ne peut exister.

Il en va de même pour le corps que nous avons revêtu : comme par nature il n'est pas simple, un seul élément ne saurait lui suffire. Et comme il possède chaleur, froid, sécheresse et humidité, sa vie en dépend, car ce sont ces éléments qui le composent[1]. S'il n'était constitué que de chaleur, il n'aurait pas besoin des autres éléments. Et même ceux-ci le détruiraient tout comme l'eau éteint le feu. Si le corps n'avait été façonné que de poussière sèche sans apport d'humidité, il n'aurait besoin que de sec et se passerait des autres éléments. Bien plus, ceux-ci le détruiraient.

Prenons d'autres exemples : la croissance des arbres ne se fait pas uniquement avec du sec et du chaud, mais par la réunion des quatre éléments qui constituent le corps. C'est pourquoi leur croissance se fait aussi dans l'air. Si elle ne se faisait que par l'humidité, tout le reste leur serait nuisible. Tous les êtres de ce monde comportent un mélange de

1. Cette conception de l'équilibre du corps comme résultante de la coexistence en lui d'éléments contraires, semble correspondre à la théorie cosmologique exposée dans le Traité pseudo-aristotélicien «Du Monde», qui explique l'harmonie du monde par le mélange des principes les plus contraires. Cf. FESTUGIÈRE II, p. 468-469. Inversement la disproportion de ses éléments constitutifs est, pour le corps, cause de maladie, cf. HERMÈS IV, p. 55, 87. Selon la doctrine courante des astrologues de l'époque, l'homme est un microcosme formé des mêmes éléments que le monde macrocosme. – Parmi les Pères de l'Église et auteurs ecclésiastiques qui ont intégré cette théorie des éléments dans leur synthèse théologique, signalons GRÉGOIRE DE NYSSE, *PG* 44, 89 D - 92 C et Némésius d'Émèse. Cf. Anastasion KALLIS, *Der Mensch im Kosmos, Das Weltbild Nemesios' von Emesa,* Aschendorf, Münster 1978.

chaud, de sec, de froid et d'humide, moyennant quoi ils se maintiennent dans l'existence. L'être qui ne possède qu'un 4 élément, sans avoir la combinaison des autres, ne peut tenir face à ceux qu'il ne possède pas et il a tôt fait de disparaître. C'est ce qui se passe chez le serpent : étant naturellement froid et ne possédant pas la combinaison des autres éléments, il ne peut résister à la chaleur et, exposé au rayonnement du soleil, il devient vite sec comme du bois. C'est pourquoi Dieu a procédé sagement en mêlant les éléments que j'ai dits pour constituer le corps, en sorte que celui-ci ne soit pas fait uniquement de sec, de froid ou de chaud et qu'ainsi il se maintienne en vie. Car, s'il n'était constitué que d'un élément à l'exclusion des autres, il ne pourrait résister à ces derniers. Mais étant composé des éléments qui constituent le monde, il peut vivre dans le monde.

Les exemples suivants nous apportent la preuve de ce que je viens d'avancer : à savoir que le corps qui n'a qu'un élément ne peut résister aux autres. Les corps qui ont beaucoup de chaleur ne peuvent endurer longtemps un froid intense et les corps qui ont beaucoup d'humidité ou de froid sont mis à mal par une chaleur excessive. Mais les corps qui, à l'instar de la nature, ont ces éléments en proportions égales, restent en bonne santé, à moins que la Providence de Dieu, qui est surnaturelle, ne vienne bouleverser l'ordre de la nature[1]. Un de ces éléments – chaleur ou humidité par exemple – devient-il prépondérant, alors le corps tombe malade. C'est parce que notre nature a été ainsi structurée avec les éléments que j'ai dits, qu'elle a besoin de ceux-ci.

Les poètes grecs[2] devraient comprendre que si l'âme est 5 composée, elle a besoin de ce qui la compose. D'après leurs

1. Loin d'être prisonnier des lois qu'il a lui-même inscrites dans la nature, Dieu reste souverainement libre d'y contrevenir selon son bon plaisir.

2. Cf. *sup.*, p. 48, n. 1.

conceptions, elle est faite de cet air subtil qui se trouve hors du monde. C'est pourquoi, selon eux, elle est tout heureuse d'en jouir après sa sortie du corps. Mais hors de ce monde il n'y a pas d'air. Et puisque l'âme n'est pas faite d'air ni d'aucune de ces choses qui d'après leurs écrits se trouveraient hors de ce monde, cela veut dire qu'elle n'en a pas besoin. Ils n'auraient pas dû attribuer une propriété de ce monde à ce qui n'appartient pas à ce monde. Si l'espérance n'appartient pas à ce monde, elle est supérieure à toutes les réalités de ce monde. Mais quand ils utilisent des catégories de ce monde pour définir l'espérance attachée aux actions vertueuses, ils devraient reconnaître qu'ils désignent seulement une réalité de ce monde. Si toutefois l'âme est tirée du néant, les sages grecs devraient se taire. Ce qui vient du néant n'a nullement besoin des éléments dont il n'est pas constitué. Mais ce que j'ai dit des sages ne s'applique-t-il pas aussi à bien des docteurs de l'Église qui ont décrit de cette façon l'espérance attachée aux bonnes actions? Sachant toutefois que ma science se limite à l'instruction que j'ai reçue, mais fortifié par ma foi au Christ, je me suis bien gardé de tenir pour vraies les assertions des poètes, car, autant que me le permettaient mes capacités intellectuelles, j'ai pu vérifier que tout cela n'est pas vrai. Comment ajouter foi à leurs affirmations? L'un d'eux serait-il revenu après sa mort, pour confirmer à ses disciples la vérité de ce qu'il a écrit autrefois? Comment souscrire à **6** leurs allégations, lorsque, durant leur vie, ils sont allés jusqu'à soutenir qu'il n'y a pas de connaissance de Dieu, et que jusqu'à la révélation de notre Seigneur Jésus-Christ l'existence d'un autre monde n'était pas tout à fait évidente? Or, à présent je suis parfaitement au fait de l'opinion des païens, je me suis rendu compte qu'elle ne mérite aucun crédit et c'est à juste titre que je tiens pour absolument vraies les paroles de notre Seigneur, que par la foi je reste dans l'espérance donnée aux âmes qui ont agi vertueusement et que je choisis pour moi la foi en Jésus à

cause de l'espérance qu'il a promise. Mais étant donné que je ne suis son disciple que depuis peu de temps, je ne sais pas ce qu'il faut penser de l'espérance qu'il a annoncée dans son Évangile. Et surtout je n'ai pas été dès le début intérieurement sensibilisé à son enseignement. Pour cette raison, je t'en prie, ne refuse pas de me parler de l'espérance future. Car c'est pour cela aussi que je me suis décidé à quitter mon lieu de résidence pour venir chez toi t'écouter parler sur l'espérance de ma vie. Si mon corps était affligé d'un mal pernicieux et que j'aie appris que tu peux le guérir, ce serait bien dommage de ne pas quitter mon lieu de résidence – même s'il est très éloigné – pour venir chercher la guérison de ce corps, dans lequel pourtant je ne resterai que peu de temps. Si donc, pour soutenir cette vie périssable, je m'étais donné toute cette peine, à combien plus forte raison devrais-je m'empresser d'aller chez toi pour la vie véritable promise par Dieu. Ainsi que je l'ai lu dans tes *Hymnes*[1], je me suis dit qu'on ne peut réfléchir sur
7 ces choses sans avoir reçu une révélation divine. Bien que je sache ta charité tout à fait capable de te persuader de ne pas me priver de ta parole, je te prie de me parler, autant que tu peux, de ce que tu sais du monde à venir.

JEAN LE SOLITAIRE : Parce que tes paroles, mon cher Thomasios, nous demandent de nous approcher de la vérité, je vais dès le début de ma réponse, tracer le chemin qui nous en rapprochera. Ce chemin, c'est une conduite vertueuse[2]. En effet, ceux qui veulent avoir accès à la vérité, doivent se mettre à sa recherche par une conduite vertueuse dans la mesure où ils en sont capables durant

1. Cf. *sup.*, p. 26, n. 4.

2. En syriaque, *dubboro chafîro*, litt. : une belle conduite. Elle consiste essentiellement à libérer l'âme des convoitises du corps, du « vieil homme » et à vivre de « la foi qui espère en Dieu » (*Gespr.*, 58, dern. lig.), moyennant quoi, le corps, lui aussi, méritera de ressusciter et d'accéder à la spiritualité en union avec l'âme; cf. *Gespr.*, 9, 10, 11. – *dubboro* correspond à la πολιτεία des Pères grecs : cf. Introd., p. 42.

cette vie. Tel est l'ordre fixé par Dieu dans la conduite de cette vie, ainsi qu'il l'a dit : «Convertissez-vous et sachez que c'est moi le Seigneur[a].» Ceci montre que lorsqu'on se défait d'une conduite odieuse on a accès à la connaissance (de Dieu). Comme l'a dit le bienheureux David à propos de l'observation des commandements : «A tout chemin de mal je soustrais mes pas pour observer tes commandements[b 1]»; nous devons comprendre que c'est en évitant tout chemin d'iniquité que l'on commence à marcher sur la voie qui conduit à la vérité. C'est pourquoi, mon ami, l'erreur[2] qui a éloigné le monde de la vérité est causée par le détournement de la conduite vertueuse. Ce n'est pas Dieu qui a mis dans l'essence de notre nature l'erreur qui de toute évidence se meut en nous. Tu sais que les Épicuriens qui se sont détournés de la conduite honnête, **8** droite et ferme, ont tranquillement abouti à l'erreur, si bien que toute leur façon de penser ne va pas plus loin que le corporel. Ils pensent qu'en dehors de ce monde il n'y a rien et que, pour ce qui est de la nature humaine, il n'existe rien en dehors du corps. Les Platoniciens qui, eux, chérissent la vie dans la liberté en ont tiré par contre une connaissance meilleure que la leur et leur secrète nature a alors manifesté sa force.

THOMASIOS : Pourquoi les Épicuriens n'ont-ils pas connu l'existence de l'âme, alors qu'ils en ont une? Pour quelle raison, alors que nous avons une âme, toute notre façon de penser est corporelle et ne correspond nullement à la nature spirituelle de l'âme?

JEAN LE SOLITAIRE : De même que l'homme préposé à la garde des trésors d'une maison cernée par les voleurs,

a. Ps. 46, 11. || b. Ps. 119, 101.

1. Jean suit ici le texte de la Pechitta. Au lieu de «commandements», la LXX a «paroles». Cf. *sup.* p. 45-46.
2. En syriaque, *ta'yûto* : erreur, égarement, perte.

succombe à cause de son silence, sous le grand nombre de ceux qui sont dehors, de même la force de l'âme qui est dans le corps succombe sous la multitude des choses mauvaises. Elle est en lui comme si elle n'y était pas et y reste sans manifester sa force. Dieu n'a pas mis l'âme dans le corps pour qu'elle s'y meuve en dehors de ce qui est propre à celui-ci[1]. Tant qu'elle est en lui, ses sens sont inopérants, mais quand elle se sépare de lui, alors elle se meut par elle-même.

Sur les choses qui se trouvent hors du corps

La séparation de l'âme d'avec le corps, dont j'ai parlé, ne doit pas s'entendre seulement comme sa sortie hors du corps, mais aussi comme la sortie de sa connaissance hors de celui-ci. Tout en étant dans le corps, on peut fort bien se
9 trouver hors du corps. Et tandis que le corps se meut dans le monde, sa pensée peut se trouver au-dessus du monde. Ainsi que l'a dit notre Seigneur à ses disciples : « Vous n'êtes pas du monde[c] », afin de leur enseigner que ce n'était pas leur corporéité, mais leur pensée sur la chair qui n'était pas de ce monde. L'âme qui, liée au corps, reste par sa mentalité prisonnière du comportement de celui-ci, ne s'est pas encore dépouillée du vieil homme. Et tant qu'on est ainsi, les sens de l'âme restent inopérants. L'embryon dans le sein maternel[2] est complet : il a des yeux pour voir, des oreilles pour entendre, des mains pour toucher, des pieds pour marcher, des narines pour respirer, et pourtant ses membres ne peuvent accomplir leur fonction que lorsqu'il sort du sein maternel et vient au monde. A ce moment-là, les membres qui dans le « monde » du sein maternel étaient

c. Jn 15, 19.

1. La présence et l'activité de l'âme dans et par le corps sont dues à une volonté expresse de Dieu.
2. Sur cette comparaison fréquente chez Jean, cf. Introd., p. 31 n. 1, *Gespr.*, 19, 13.

inopérants se mettent chacun à fonctionner : les yeux se mettent à voir, les oreilles à entendre, les mains à toucher, les pieds à marcher. Il en va de même de notre homme intérieur qui est l'âme : bien que dès sa création, il soit en possession de tous ses sens, c'est-à-dire de l'intelligence, de la connaissance etc., toutefois, tant qu'il reste enfermé dans le corps et ne s'en est pas séparé par la connaissance, il ne peut se servir de ses sens qu'après être sorti du «sein» du corps vers le monde spirituel. Tant qu'il est dans le corps, ses sens sont inopérants. Même si une révélation spirituelle peut les faire fonctionner normalement dans le monde 10 spirituel, tant qu'il est enfermé dans le corps, il se meut à l'image du corps : tout ce qu'il pense sur les images spirituelles, il le considère comme des images corporelles. Mais une fois qu'il est sorti complètement du corps et est entré dans le monde spirituel et que sa pensée n'est plus enfermée dans le corps, alors ses sens spirituels commencent à opérer efficacement dans les choses spirituelles. Car alors il n'est plus limité par la prison du corps. Le corps lui aussi sera transformé par la résurrection, pour constituer avec l'âme une unité spirituelle en sorte qu'il n'y ait plus désormais un homme corporel et un homme spirituel. Ceux qui auront mérité la résurrection seront comme les anges de Dieu, lesquels ne sont pas corporels extérieurement et spirituels intérieurement, mais leur spiritualité est toute du même ordre. De même que, dans le monde corporel, notre homme intérieur pense selon des schèmes corporels, parce que toutes ses pensées ont une forme corporelle – car dans la vie corporelle il lui est impossible de penser quoi que ce soit sans couleur, contour et structure –, de même dans le monde de notre homme véritable, l'homme corporel sera comme lui : rien en lui ne se mouvra en dehors de notre homme spirituel. Et de même que, dans le monde corporel, l'homme intérieur a revêtu les formes de l'homme extérieur, de même dans le monde spirituel l'homme extérieur revêtira les formes de

l'homme intérieur. Alors, de corporel qu'il était, le corps
11 deviendra spirituel et, ainsi que l'a dit l'Apôtre, Dieu transformera notre corps d'abjection : « On sème un corps psychique, il ressuscite un corps spirituel[d]. » Alors quand, comme nous l'avons dit, nous serons transformés en êtres spirituels, dont l'aspect ne sera pas corporel, mais correspondra à la nature de notre homme spirituel, il est bien évident que l'homme corporel recevra, dans le monde de l'homme spirituel, tout ce qui est propre à ce dernier.

THOMASIOS : Ce que tu viens de dire dépasse les capacités de mon entendement. Néanmoins, d'après le peu que j'ai pu comprendre, je vais dire franchement ce que je n'ai pas saisi. Car qui peut connaître ces choses, sinon celui à qui cela a été donné d'en haut ? Des gens m'ont demandé si l'on peut prouver la possibilité de connaître l'incorporel sans recourir à l'Écriture. Car en outre ces gens-là raisonnent en philosophes[1] et récusent la démonstration que je leur apporte à partir de l'Écriture. Je voudrais donc savoir comment établir l'existence de l'invisible.

JEAN LE SOLITAIRE : Une pensée corporelle ne saurait se mouvoir hors du corps.

THOMASIOS : De quelle manière parviendrai-je à la conviction qu'il existe une connaissance de l'incorporel ?

JEAN LE SOLITAIRE : (Répondons) d'abord à ta question sur l'existence ou l'inexistence (de l'incorporel). Cette question implique la possibilité de la connaissance extracorporelle. De même que les yeux doués de la vue ne cherchent pas à voir ce qui échappe à leur champ de vision,
12 mais que c'est justement ce que cherche la vue intérieure, c'est-à-dire notre esprit, parce que cette vue intérieure voit au-delà du visible, de même quand la connaissance cherche

d. I Cor. 15, 44.

1. Cf. *sup.* p. 48, n. 1.

quelque chose en dehors du corps, ce n'est pas la nature du corps qu'elle cherche à connaître, mais ce qui est hors du corps. De même si toute la réalité était contenue dans le visible, on n'aurait pas à chercher dans le monde quoi que ce soit au-delà du visible. La connaissance corporelle ne pouvant être dépassée, il n'y aurait pas lieu de chercher quoi que ce soit hors du corps, puisqu'il n'y a rien d'autre. De même, puisqu'il y a quelque chose au-delà de la vision des yeux, la pensée voit sans eux le domaine qui leur échappe ; de même aussi, parce qu'il y a quelque chose hors du corps, la connaissance intérieure cherche s'il existe ou non quelque chose en dehors de lui. Tout cela tu le tiens pour vrai : ce qui n'existe pas n'a pas à être cherché dans ce qui est. Sinon, pourquoi personne au monde ne peut-il nommer un élément inexistant dans les êtres, que ce soit une couleur ou n'importe quoi d'autre dans le monde ? Et même s'il lui semble avoir nommé quelque chose qui n'existe pas dans le monde, cela ne peut se fonder qu'à partir des choses existantes. Ainsi, par exemple, l'affirmation de certains : il y a plusieurs dieux, ils ne peuvent la fonder que sur un seul nom : Dieu. Mais pourquoi ne nomment-ils pas autrement ce qu'ils adorent ? Comme j'ai consacré à cette question de copieux développements dans **13** un autre Traité, je m'abstiendrai de te démontrer maintenant que les hommes ne peuvent affirmer l'inexistence de quelque chose qu'à partir de ce qui existe. Quant à ce qui n'existe pas, aucun être créé ne saurait se le représenter. Le Créateur peut faire exister la connaissance de ce qui n'existe pas en le faisant exister. Gloire à Lui pour les siècles !

Fin du premier Dialogue

II

Deuxième Dialogue avec Thomasios sur la transformation dont bénéficiera l'homme dans la vie future : dans le monde futur il sera spirituel. Et d'autres sujets.

THOMASIOS : Pourquoi toutes ces connaissances et ces opinions qui ne s'accordent pas? A cause de leur opposition, il n'en ressort aucune notion ferme et certaine. Et pour ainsi dire, elles n'aident pas à la connaissance. Quand une opinion dit une chose et l'autre une autre, elles se détruisent mutuellement et aucune notion certaine n'en sort.

JEAN LE SOLITAIRE : Mon frère, la multiplicité des connaissances proclame la richesse de la science de Dieu et le grand nombre des questions prouve l'incompréhensibilité de sa sagesse. De même que les formes multiples sous lesquelles il se manifeste nous prouvent son invisibilité, de même la multiplicité des opinions nous enseigne l'incom- [14] mensurabilité de sa connaissance. Si Dieu était visible, son apparaître serait un et il ne se manifesterait pas sous plusieurs formes. Si sa connaissance pouvait s'exprimer, il n'y aurait pas plusieurs connaissances. Mais, parce qu'il est invisible à tous les regards, il se révèle sous diverses formes. Parce que sa sagesse est d'une ampleur sans limite, il existe pour le connaître une multitude de connaissances. De même que toutes les formes sous lesquelles il se manifeste ne nous font pas savoir quelle est son apparence, mais nous disent seulement qu'il est, de même toutes les connaissances avec leurs opinions ne nous montrent pas quelle est la richesse de sa sagesse, mais nous font comprendre que sa science est sans limite. De même qu'il se manifestait aux saints sous la forme des éléments de ce monde – car ils ne pouvaient le voir avec les yeux –, de même toutes les connaissances parlent de la sagesse de Dieu en utilisant les traits de ce monde. C'est pour cette raison qu'elles n'explicitent pas quel est le mystère de sa sagesse, mais font savoir seulement qu'il est. Et cela parce que ni les démonstrations, ni la structure de l'apparaître du monde ne peuvent exprimer le mystère de la science de Dieu. De même qu'après la disparition des éléments visibles, air, feu et lumière, qui rendent l'homme visible dans le monde, disparaîtront aussi les formes qui caractérisent ces visions, et de même que Dieu sera connu dans le monde nouveau grâce à une vision nouvelle et inconnue de nous, de même par la réduction au silence de toutes les langues cesseront aussi tous les discours et démonstrations et, grâce à une connaissance nouvelle, le mystère inépuisable de sa connaissance sera manifesté sans limite dans le monde à venir. «Les langues se tairont et la connaissance cessera[a].» Si les langues qui produisent les sons disparaissent, à combien plus forte raison disparaîtront aussi les mots proférés par les langues. Si la connaissance qui engendre les pensées disparaît, à combien plus forte raison disparaîtront aussi dans le monde nouveau tous les mouvements qui sont le produit de notre pensée, tandis que nous exulterons dans une connaissance qui n'a rien à voir avec notre connaissance actuelle, au sein du mystère de Dieu, dans la vie future. Si toutes les langues se taisent, si tout ce qu'elles expriment disparaît, si toute connaissance est abolie, tout mouvement éliminé, comment pouvons-nous penser avoir atteint la vérité avec les pensées qui sont nôtres dans le temps présent? Ou bien, en quoi consistera 15

a. I Cor. 13, 8.

selon nous notre connaissance dans la vie nouvelle, si nos sens intérieurs ne peuvent réfléchir sur rien?

THOMASIOS : Pourquoi ne peuvent-ils réfléchir sur rien?

JEAN LE SOLITAIRE : Parce que jusqu'à présent ils ne se sont pas élevés au-dessus de la motion humaine[1]. Parce que toutes nos pensées sur les réalités invisibles sont structurées selon un schème humain et que notre esprit leur attribue notre propre structure. Considérons l'exemple de notre homme invisible face aux réalités invisibles et comprenons qu'il ne peut connaître ces réalités si, au préalable, il n'a pas éliminé l'obstacle à cette connaissance qui est l'erreur[2]. Remarquons aussi que notre homme visible (peut servir) d'exemple pour les réalités invisibles : de même que les pieds du boiteux ne peuvent être aptes à la marche, si au préalable ils n'ont pas été guéris, ni les yeux des aveugles ne peuvent voir si auparavant ils n'ont pas été ouverts, ni la langue paralysée ne peut recouvrer la parole si tout d'abord

16 ses liens n'ont pas été déliés, il en va de même pour les sens invisibles de l'âme qui sont la connaissance, l'entendement, le discernement[3], l'intelligence et la science. Parce qu'ils ont subi du dommage à cause des pensées perverses et diverses habitudes mauvaises, que leur connaissance est tombée malade et qu'ils en sont devenus comme infirmes, ils ne seront capables d'accueillir dans toute sa grandeur la connaissance de la vie nouvelle que si, au préalable, ils ont été guéris, ont fait disparaître les souillures des pensées perverses et se sont remis de la faiblesse (causée par leur attachement aux) choses terrestres[4]. Quand ils jouiront de la santé spirituelle, alors leur connaissance pourra se

1. En syriaque *mett^e^zi^o^nûto*. Ce terme est à mettre en relation avec un autre de même racine, *zaw^o^o* : impulsion, émotion, pensée, instinct. Cf. Introd., p. 38, n. 3 et p. 40.

2. Cf. *sup.*, p. 53, n. 2.

3. Importance du discernement pour bien distinguer les diverses passions et les mouvements de l'âme.

4. Originellement l'âme était en bonne santé, c'est-à-dire pure de

mouvoir dans les mystères de Dieu. Dès lors, si l'homme n'est pas gratifié de la science spirituelle, il est clair que l'obstacle ne vient pas de Dieu mais de lui, homme que sa faiblesse rend incapable d'accueillir toute cette grandeur. De même que ce n'est pas la faute de la lumière si elle n'apparaît pas aux yeux des aveugles, mais que la cause de cette privation tient à leurs yeux, de même chez l'âme qui ne possède pas la science supérieure au corps, ce n'est pas Dieu qui est l'obstacle, mais la faiblesse de l'âme qui est incapable d'assumer la force de la connaissance. Que soient guéris les yeux et voici qu'ils voient la lumière, que soit déliée la langue et la voici capable de parler, que s'ouvrent les oreilles et les voici qui entendent, que soient guéris les pieds et les voici capables de marcher alertement. Ceci s'applique aussi à nos sens invisibles. Que notre cœur soit purifié de la perversité et voici que nous entrons dans l'intimité des mystères de Dieu, autant qu'il peut nous être **17** donné de la connaître. Éliminons les pensées corporelles et alors se mouvront en nous les pensées spirituelles. Purifions-nous du péché et nous mériterons de voir les réalités invisibles. Ton regard est aveugle et tu demandes pourquoi il ne voit pas la lumière. Ton oreille est bouchée et tu demandes pourquoi elle n'entend pas. Ta langue est liée et tu demandes pourquoi tu n'es pas doué de la parole. Supprime tous ces handicaps : tu verras et entendras parfaitement. Il faut dire la même chose à propos du mystère invisible de notre homme intérieur : il est aveugle aux réalités futures et nous nous étonnons de ce qu'il ne les voie pas. Notre âme est prisonnière des choses terrestres et nous nous demandons stupéfaits pourquoi sa façon de penser n'est pas spirituelle. Guérissons la cécité de notre

toute pensée perverse et habitude mauvaise. Mais, par l'entremise du corps et sous l'influence d'autres causes extérieures, elle est tombée malade et a donc besoin de recouvrer la santé, pour que ses sens puissent percevoir le destin glorieux auquel l'homme est appelé par Dieu. Ce thème est développé jusqu'à la fin du dialogue. Cf. Introd. p. 37.

pensée, alors nous pourrons voir les réalités à venir, autant que cela est possible. Délions les liens de notre âme, alors nous pourrons marcher aisément vers les réalités invisibles. Écoutons ceci comme venant de Dieu lui-même en personne : « J'ai placé devant chacun également des réalités invisibles et des réalités visibles. Je ne refuse rien à qui me prie comme il le doit. J'aime pareillement tous les hommes. Personne ne m'a rien donné avant que je le crée, pour qu'il soit aimé de moi davantage. Il ne m'a pas présenté de demande pour que sa création soit plus excellente que celle des autres. Unique est ma volonté dans la création des hommes. Je n'ai pour eux qu'un seul et même amour lorsque je les comble de biens. » De même que ces choses visibles, la lumière, le ciel et les étoiles se montrent à tout un chacun et que c'est seulement une lésion de la vue qui, comme je l'ai dit, prive l'homme de voir la nature, et non
18 pas la nature qui empêche les gens de voir, de même les mystères divins, ce n'est pas Dieu qui les cache aux hommes, mais ce sont les hommes qui en sont éloignés à cause du dommage subi par leurs âmes. Vraiment, dans la mesure où l'on s'occupe de son âme et où l'on s'applique à guérir ses infirmités et à acquérir la santé spirituelle, l'âme s'élève grâce à l'excellence des réalités invisibles. Parce que les hommes ne veulent pas faire cela, la grâce de Dieu est destinée à l'accomplir dans le monde nouveau. Par l'efficacité de sa puissance divine, Dieu fera disparaître tout ce qui empêche les hommes d'être établis dans le mystère authentique de sa sagesse. De même que c'est par un acte de sa volonté qu'il les a créés, de même c'est volontairement qu'il les accomplira en conformité avec le don qu'il leur a fait de la résurrection.

THOMASIOS : Où est-il enseigné que les hommes deviendront plus parfaits qu'ils ne sont?

JEAN LE SOLITAIRE : Nous en avons une démonstration dans l'enseignement de Paul, lorsque, s'adressant aux Hébreux, il décrit la foi des anciens, pour qu'ils ne croient pas que la Loi était en contradiction avec la foi qu'il enseignait. Et il apporte la preuve que c'est par la foi que tous les Patriarches ont été agréables à Dieu, lorsqu'il montre qu'ils espéraient avec une foi totale, alors qu'ils n'avaient pas encore vu l'accomplissement des promesses qui leur avaient été faites. Pour leur enseigner que ce n'est pas quiconque est mort qui sera accompli, mais que Dieu a **19** fixé un temps pour cette glorieuse économie de l'accomplissement des hommes, Paul continue ainsi : « Dieu prévoyait de nous aider pour qu'ils ne parviennent pas sans nous à la perfection[b]. » Pour contempler ce don qui sera fait aux hommes lors de la révélation du monde à venir, l'économie que Dieu a accomplie dans le monde corporel peut te servir d'exemple : alors que l'homme n'est pas encore et qu'il est loin d'être ce qu'il sera, qu'il n'a pas encore pris sa forme ni ses traits, ni ne peut accomplir aucune fonction, c'est grâce à l'action sage de Dieu qu'il reçoit dans le sein maternel sa forme achevée et toute la structure de ses membres[1]. Et dès qu'il a toute sa forme splendide et tous ses traits, alors a lieu son entrée dans le monde. Cela, il ne le doit pas à son action à lui, homme, mais à la bonté de Dieu[2]. Ainsi grâce à cette économie admirable qui doit se manifester dans le monde à venir, alors que l'homme n'a pas encore atteint le stade spirituel et qu'il ne possède pas des sens supérieurs au corps, qu'il est encore informe dans ce monde d'en bas corrompu, cette main qui a tout créé rassemble ses membres, ajuste ses articulations : il reçoit ses traits splendides et sa forme admirable et devient une essence glorieuse qui se tient spirituellement dans le monde spirituel.

b. Hébr. 11, 40.

1. Cf. Introd. p. 21, n. 5.
2. Ici est posé fermement le principe que tout le processus invisible de l'entrée de l'homme dans le monde spirituel est dû uniquement au don de Dieu qui s'origine dans l'économie salvifique du Christ.

Et cette économie invisible qui se passe dans le monde
20 invisible et que le Maître universel destine à toute la race humaine, prend sa source dans l'économie visible accomplie chez les hommes par Jésus-Christ, notre espérance. De même que les infirmités corporelles comme l'amputation des membres, la cécité, le mutisme, la surdité, qui diminuent considérablement les attraits de la beauté physique, disparaissent sous l'effet de la puissance divine du Christ, moyennant quoi les hommes à nouveau voient, entendent, parlent, marchent, recouvrent leur intégrité corporelle et se réjouissent de voir la beauté du monde, de même, de par la richesse inépuisable de sa bonté et de sa puissance admirable et souveraine, il doit faire disparaître toute faiblesse et infirmité qui est en nous ainsi que les obstacles qui nous empêchent de jouir de la félicité des mystères divins. Par l'abolition de toutes les choses d'ici-bas, nos sens spirituels seront guéris, moyennant quoi nous serons dignes de l'immense gloire du monde nouveau. De même que, lors de sa première manifestation dans le monde, il donnait la santé corporelle pour que le corps puisse voir sainement dans son monde à lui les couleurs qui lui sont données, de même par la révélation du monde nouveau, il nous donnera la santé spirituelle pour que notre homme voie sainement la beauté de ses mystères. De même que ceux qui ont cru en Notre Seigneur lorsqu'il s'est manifesté dans le monde ont été guéris d'une manière particulière et ont été en parfaite santé dans leur monde, de même ceux qui auront observé les commandements recevront la gloire quand il se manifestera dans le monde à venir. De même que ceux qui avec foi présentaient leur supplication à Notre
21 Seigneur méritaient d'obtenir de lui la guérison de leur infirmité, ainsi que nous l'avons dit, de même ceux qui, ici-bas, font monter vers Dieu leur supplication, mériteront à un titre spécial la grandeur à venir. Si, à propos de notre apparence corporelle qui maintenant connaît la corruption, l'infirmité et la honte, l'Apôtre dit : « Bien que semés

maintenant dans l'ignominie et la faiblesse, nous sommes destinés à recevoir au lieu de la corruption la vie incorruptible, au lieu de la faiblesse, la force etc.[c] », à combien plus forte raison disparaîtront de notre homme véritable ces choses qui sont notre lot en ce moment et nous serons alors dans la sagesse véritable des mystères de Dieu. A lui la gloire pour les siècles !

Fin du deuxième Dialogue

c. I Cor. 15, 43.

III

Troisième dialogue avec Thomasios : pourquoi les hommes n'ont-ils pas été créés dans la vie qu'ils sont destinés à recevoir? et d'autres sujets.

Après l'office de trois heures, Thomasios prit la parole : Après que tu as répondu à la question de savoir pourquoi Dieu nous a placés d'abord dans ce monde avec un corps composé, il me reste à te demander pourquoi Dieu, en créant la nature humaine, ne lui a pas donné dès le début cette excellence qu'elle aura après la résurrection.

22 JEAN LE SOLITAIRE : Si dès le début Dieu avait créé les hommes dans cette grandeur future, ils n'auraient pas eu de postérité par la génération[1]. Et il ne les aurait pas créés deux dès le commencement. Mais ils auraient été créés comme les anges, de façon parfaite, en multitudes innombrables, avec cette gloire qui nous est réservée dans leur monde. Ainsi le monde des hommes aurait été sans génération. Et si notre monde était exactement ainsi, nous aurions été créés en multitudes innombrables comme les oiseaux, les poissons et les animaux. Car ce sont seulement ces espèces qui ont été créées dès le début en troupes innombrables. Mais comme je l'ai dit plus haut, parce qu'il a voulu accomplir l'économie glorieuse dans une nature

1. La réalisation de l'économie voulue par Dieu dans une nature non entièrement spirituelle impliquait son étalement dans le temps, c'est-à-dire la succession des générations humaines.

inférieure[1], nous avons été créés avec un corps composé, nous sommes soumis à la loi de la croissance et de la génération jusqu'à l'achèvement de cette économie, et alors, grâce à la révélation de l'économie du monde à venir, notre nature sera rehaussée par la gloire conformément à la sagesse des mystères qu'il veut faire connaître. Si dès le début nous avions été créés dans cette grandeur du monde nouveau, il aurait dû nécessairement nous faire savoir que nous étions destinés à recevoir une grandeur plus excellente que la première. Premièrement afin que nous demandions sans trêve, deuxièmement, pour que sa richesse nous persuade de notre indigence et du besoin que nous avons de quelque chose de supérieur à nous. De toute manière, grâce à cette grandeur supérieure à celle du monde nouveau, il nous enseignerait l'infériorité de notre condition de créature. Encore une fois, s'il nous avait constitués dans une grandeur supérieure à celle du monde nouveau, il eût été requis qu'il nous en montre une plus excellente que celle-ci, pour que par la prière nous cherchions à y tendre, **23** que le don de Dieu nous soit fait avec justice, que nous en soyons sans cesse émerveillés, et aussi pour que les mondes ne pensent pas que la richesse de Dieu est limitée, sous prétexte qu'ils ne voient rien de supérieur à eux et qu'ils ne reçoivent rien et que lui ne donne rien. En résumé nous aurions beau dire cela mille fois mieux, nous devrions conclure encore que la création doit être déficiente pour que notre déficience fasse connaître aux mondes la plénitude de Dieu, qu'ils demandent ce qui est supérieur à eux et, grâce à ce qui leur est inférieur, ils reconnaissent la bonté de Dieu à leur égard. Si Dieu avait créé mille univers différents, il aurait fallu que, parmi tous ces mondes, il en fasse un inférieur aux autres en tout, pour que par là ceux-ci comprennent sa sagesse. Mais du fait que (la

1. Sauf en un ou deux passages, la nature humaine est toujours qualifiée d'inférieure et même de méprisable. Cf. Introd. p. 37.

création) est son œuvre, nous pouvons déduire qu'il devait en être ainsi. Car grâce aux imperfections et à la corporéité de cette création, Dieu a voulu prouver l'existence d'un repos et d'une spiritualité qui font défaut à notre monde. Si les hommes avaient été créés dans la plénitude glorieuse du monde à venir, et s'il ne leur avait pas montré quelque chose de plus petit que lui, ils ne sauraient pas que leur monde est grand. Et pour leur permettre de le savoir, il a procédé de deux manières : d'abord en leur donnant ce monde comme signe, ensuite en leur montrant la sagesse du monde à venir.

THOMASIOS : Si Dieu a mis les hommes d'abord dans une nature faible et imparfaite, pour qu'ils reconnaissent la **24** grandeur spirituelle qui doit leur échoir et qui est dès maintenant celle des multitudes spirituelles, par quelle imperfection Dieu a-t-il fait connaître leur grandeur à celles-ci? Si c'est leur venue parmi nous qui leur fait comprendre leur puissance par comparaison avec notre petitesse et notre faiblesse, ce ne sont pas toutes les Puissances célestes qui descendent chez nous. Alors celles qui ne sont jamais descendues chez nous, comment perçoivent-elles leur dignité?

JEAN LE SOLITAIRE : La question que tu viens de poser, je l'ai déjà traitée ailleurs à propos de la cause du monde : par leur descente chez nous, ils connaissent la grandeur de leur mystère, même s'ils ne la connaissent pas parfaitement telle qu'elle est, car sans l'aide de notre monde et grâce à leur sagesse et aux mystères qu'ils perçoivent, ils connaissent leur rang et la dignité glorieuse de leur nature. Néanmoins je veux, dans la mesure du possible, t'expliquer ce que tu m'as demandé. Que penses-tu, mon frère? Que la grandeur est une et une la connaissance, que la totalité du monde d'en haut est dans un seul mystère, ou bien n'y a-t-il pas des ordres supérieurs les uns aux autres?

THOMASIOS : Si; l'Apôtre l'a montré quand il dit : il n'y a pas qu'un ordre d'une seule grandeur; il nomme en effet «les Principautés et les Puissances célestes[a]». Et quand il parle des Principautés et des Puissances, il enseigne qu'il y a des ordres supérieurs les uns aux autres.

JEAN LE SOLITAIRE : C'est vrai que dans ces Puissances d'en haut il y a une hiérarchie : certains de ces ordres pénètrent plus avant dans les mystères de l'essence divine. Les plus élevés ce sont les Chérubins[1]. Or ils n'ont pas été **25** envoyés dans ce monde-ci pour qu'à partir de ce monde ils puissent connaître leur glorieuse dignité. Cependant, en rendant grâce à Dieu, ils voient l'excellence de leur dignité par rapport aux ordres inférieurs. Quant à ces multitudes qui sont inférieures à ces ordres supérieurs par le degré de science – et qui sont les anges –, Dieu les a envoyés dans ce monde-ci pour qu'en voyant sa petitesse par rapport à eux, ils s'émerveillent de la richesse de leur plénitude en louant Dieu. Quant au genre humain, ce sont toutes les espèces qui lui sont soumises qui lui font connaître la dignité de sa condition. Et selon l'économie divine qui lui a annoncé l'espérance de la vie d'en haut, il doit demander par la prière, d'être élevé jusqu'à ce monde de paix[b].

Pour les multitudes d'en haut dont je viens de parler, je vais appuyer les propos que j'adresse à Ta Charité sur une preuve scripturaire pour bien montrer qu'il ne s'agit pas d'un futile jeu de l'esprit lorsqu'on se demande pourquoi, des trois ordres d'en haut que mentionne l'Écriture, seul l'ordre des anges est envoyé comme messager du Royaume de paix vers notre monde. Et pour que l'on ne croie pas

a. Éphés. 3, 10. || b. Cf. Col. 3, 1.

1. Jean, comme les autres théologiens syriens, tient pour la primauté des Chérubins sur les Séraphins. L'origine de cette conception est à chercher dans le *Livre d'Hénoch* (61, 10), apocryphe juif qui a inspiré les développements considérables de l'angélologie dans l'Église ancienne. Cf. *Das Buch Enoch,* trad. Joh. Flemming et L. Radermacher, *GCS,* p. 80. – La distinction entre les anges qui, comme les Chérubins et les Séraphins, restent près de Dieu et ceux qui sont envoyés en mission vient des *Oracles Chaldaïques* : cf. P. HADOT, *op. cit.,* p. 394, note 1.

que ceux qui sont envoyés appartiennent aux ordres d'un degré supérieur et à cause précisément de leur envoi, on les appelle «anges» comme le fait habituellement l'Écriture, qui appelle «ange» tout envoyé. Ainsi a été appelé «ange» celui qui était allé chercher le prophète Michée[c]. Néanmoins, dans les visions des prophètes, l'Écriture se sert de noms différents pour bien distinguer les ordres les uns

26 d'avec les autres. Lorsque Isaïe eut sa vision dans le Temple, si, comme on le fait pour ceux qui sont envoyés partout, il avait appelé «anges» ceux qui lui sont apparus en forme de char devant le trône de Dieu, si donc ils étaient vraiment de l'ordre des «anges» et n'étaient pas supérieurs à eux par la science, il ne les aurait pas appelés Séraphins. Car, dans leur monde, l'ordre des Séraphins est bien plus élevé que celui des anges et il se tient plus proche de Dieu grâce au mystère de la sagesse. Et lorsqu'ils sont apparus dans notre monde, Isaïe les a vus en vision dans la proximité de Dieu. Pour faire comprendre à quel point ils sont proches du mystère de Dieu, il exprime leur position en étroite relation avec le trône de Dieu. « Je vis le Seigneur assis sur son trône et les Séraphins se tenant au-dessus de lui[d].» Parce que nous ne pouvions savoir que l'ordre des Séraphins est plus élevé que celui des anges qu'en recourant à une image familière, sa vision fut celle d'un royaume de chez nous : de même que, dans l'armée royale, ce sont les plus élevés en grade qui se tiennent debout et s'asseoient près du roi, de même le prophète Isaïe, dans sa vision, nous a montré de manière symbolique que l'intimité des Séraphins avec Dieu est plus grande que celle des anges.

Quant à la raison de cette vision, pourquoi elle a eu lieu selon l'économie en vigueur au temps d'Israël, je t'en parlerai quand nous en viendrons à l'exégèse des visions prophétiques. Ce qui nous intéresse pour le moment, c'est

c. Cf. III Rois 22, 13. || d. Is. 6, 1 s.

la connaissance supérieure au corps. Je vais donc t'en parler, autant que possible, de façon spirituelle. Sache d'abord que ce nom de «séraphin» ne désigne pas leur nature, mais le bruissement de leurs ailes[1]. Le prophète les **27** nomme ainsi d'après le volètement de la sainteté qu'il a entendu. En hébreu cela se dit *saraph,* ce qui, en syriaque, se traduit : *meraḥfono,* «qui volète».

A propos de la forme de leurs ailes «dont deux leur couvraient les pieds[e]», nous devons, je pense, les considérer en rapport avec le mystère d'en haut qui leur est propre : bien que leur pensée se meuve sans répit pour scruter le mystère divin, cependant ce mouvement est limité, car, en dehors de la science divine, il n'est pas de science sans limite. Quant à la phrase : «Avec deux ailes ils se voilaient le visage[e]», nous devons la comprendre comme suit : si haut placés et élevés soient-ils dans le mystère devant lequel ils se tiennent, ils ne peuvent cependant avoir la vision de Dieu. Mais ils se voient eux-mêmes du fait qu'ils essayent de connaître Dieu. De même qu'aucun d'entre nous, même s'il monte en esprit jusqu'au ciel, ne peut voir un Séraphin que sous une apparence humaine – et donc ce qu'il voit c'est un homme seulement –, de même, pour ceux-ci, l'idée qu'ils ont de Dieu ne leur permet pas d'atteindre à la vision divine, mais ils se voient eux-mêmes quand ils pensent à Dieu. La phrase : «avec deux ailes ils volaient et criaient[e]» signifie que leur connaissance de Dieu les plonge dans un émerveillement perpétuel et une louange sans fin.

Quant à l'ordre des Chérubins, l'Écriture divine le nomme partout «le Trône de Dieu». «Toi qui trônes sur les Chérubins, manifeste-toi[f].» Il voit, c'est-à-dire (il voit)

e. Is. 6, 2. || f. Ps. 80, 2.

1. L'explication du nom des Séraphins donnée ici fait appel au verbe syriaque *raḥaf* que l'on a déjà rencontré pour désigner le volètement de l'Esprit de Dieu sur les eaux primordiales et sur celles du baptême. Cf. *Briefe,* 35, 7. En fait la racine hébraïque *saraph* signifie brûler.

les abîmes[g] et « Il siège sur les Chérubins[h]. » « Il chevaucha les Chérubins et vola[i]. » N'allons pas croire que cette expression « Trône de Dieu » pour désigner les Chérubins, signifie un trône matériel, comme si les Chérubins étaient le trône sur lequel Dieu serait assis. Les Écritures veulent **28** symboliser par là leur intimité avec Dieu et leur prééminence sur tous les autres ordres angéliques. Bien que l'appellation ait une forme corporelle, le mystère, lui, est incorporel. Quand les prophètes disent que les Chérubins portent en fastueux cortège le Seigneur tout-puissant, cela ne signifie pas que Dieu aurait besoin de s'asseoir sur eux ; ils veulent simplement dire que, de tous les ordres, celui des Chérubins est le plus proche de la connaissance de Dieu. Quand il est dit des Chérubins qu'ils portent la magnificence de sa gloire et que les Séraphins l'accompagnent, il est évident que l'ordre des Chérubins est plus proche de Dieu que celui des Séraphins, qu'il est plus proche des mystères divins et que dans l'au-delà, le mystère glorieux du Tout-Puissant se trouve chez les Chérubins en un degré plus élevé que dans toutes les autres multitudes célestes. Si ce n'était pas pour nous faire connaître l'existence d'une hiérarchie dans le monde des êtres d'en haut, les Écritures, qui parlent au nom de l'Esprit-Saint, n'auraient pas parlé de distinctions entre les ordres. Quand elles parlent d'une plus ou moins grande proximité de Dieu, cela ne doit pas s'entendre sur le plan de l'être. Par proximité j'entends la connaissance des mystères divins. Les Chérubins sont plus élevés dans leur mystère que tous les ordres qui ont été mentionnés. Ni les Séraphins ni les anges n'ont été appelés le trône de Dieu et jamais les Chérubins et les Séraphins n'ont été appelés « envoyé ». Mais à propos de chacun des ordres, Dieu a fait connaître par les prophètes la grandeur des spirituels au moyen d'images que nous pouvons comprendre, comme la hiérar-

g. Cf. Ps. 104, 6. || h. Ps. 99, 1. || i. II Sam. 22, 11 ; Ps. 18, 11.

chie des grades dans l'armée d'un royaume de ce monde. Les prophètes n'ont pas voulu dire que Dieu a besoin des **29** Chérubins comme siège, ni le prophète Isaïe n'a voulu montrer par sa vision que Dieu est limité par son entourage de Séraphins, ni qu'il ne pouvait mener à bien son économie sans envoyer les anges; mais tout ce qui a été dit par le Tout-Puissant sur ses visions et sur les Puissances d'en haut, l'a été en raison des actions qu'il a accomplies dans l'économie avec le peuple d'Israël. Et comme nous pouvons supporter les images et donc sommes capables de comprendre les réalités célestes, les Chérubins sont appelés «le Trône de Dieu».

«Dieu siège sur les Chérubins[j].» Ce n'est pas qu'ils le portent en réalité, mais c'est selon le sens de l'économie qui a eu lieu en Israël. Quand les Écritures disent : «Il a chevauché les Chérubins et a volé[k]», elles veulent mettre en relief sa manifestation, parce qu'il s'est manifesté pour le salut des hommes. Il ne s'est pas manifesté à eux en personne, mais c'est par le salut qu'il s'est fait connaître d'eux. Une fois qu'il a accompli le salut, il se cache à nouveau dans le silence. C'est pourquoi pour signifier sa manifestation, ils disent : «Il a chevauché les Chérubins et a volé.» David, pour montrer la rapidité du salut, dit : «Il plana sur les ailes des vents[k].» S'il a dit cela, ce n'est pas pour que nous nous représentions Dieu comme un oiseau qui plane dans l'air, mais pour signifier la rapidité de sa manifestation. De même, il ne faut pas s'imaginer que dire «Il a chevauché les Chérubins et a volé» signifie que Dieu est comme un cavalier sur son coursier. Par le mot «Chérubin», l'Écriture veut beaucoup plus signifier l'invisibilité de Dieu. Pareillement les mots : «Toi qui es assis sur les Chérubins, révèle-toi[l]», signifient qu'il prie celui qui est invisible à tous de se révéler en accomplissant le salut. De même par ces paroles : «Il a placé son char sur les **30**

j. Ps. 99, 1. || k. II Sam. 22, 11; Ps. 18, 11. || l. Ps. 80, 2.

nuées» et «Il s'avance sur les ailes du vent[m]», il n'a pas voulu dire que c'est la forme d'un char qui est placé sur les nuées, ni qu'il a l'aspect d'un homme s'avançant dans l'air, mais, par le mot «char», il a voulu plutôt signifier qu'il condescend à se manifester en châtiant et en sauvant. En disant «sur les nuées», il veut suggérer l'extrême variété de ses manifestations. De même que les nuées se montrent avec toutes sortes de couleurs changeantes, de même Dieu condescend à se manifester aux hommes par toutes sortes de visions. Par ces paroles : «Il s'avance sur les ailes du vent», il signifie la rapidité de ses apparitions. Par les «nuées» qui sont en bas et proches de notre séjour, avec toutes leurs formes variées, il a voulu exprimer la condescendance qu'il a manifestée aux hommes sous toutes ses formes. C'est pourquoi il dit : «Il a placé son char sur les nuées» et «Il s'avance sur les ailes du vent[n].» Ainsi les paroles : «Il a chevauché les Chérubins» ou «Il est assis sur les Chérubins» ne doivent pas être prises au sens littéral. Beaucoup de gens prétendent que, d'après l'Écriture, la vision dans le Temple avait eu lieu au-dessus des Chérubins. Mais les paroles : «Il voit les abîmes[o]» et «Il siège sur les Chérubins[p]» signifient la hauteur qui est au-dessus du ciel.

Après que j'ai parlé du sens de l'économie qui a eu lieu en Israël, écoute maintenant le mystère spirituel en un sens bien plus sublime. Il nous sera, je crois, extrêmement profitable de considérer que ces paroles : «Il siège sur les Chérubins» signifient que l'ordre des Chérubins possède 31 plus que tous les autres la connaissance du mystère de Dieu, ainsi que je l'ai dit plus haut. Le mot *kérūb* signifie «limite». L'Écriture appelle habituellement *kérūb* tout ce qui délimite un lieu. Ainsi est appelé *kérūb* ce qui barre l'accès du Paradis[1]. Alors que dirons-nous de l'ordre

m. Ps. 104, 3. || n. Ps. 104, 3. || o. Ps. 104, 6. || p. Ps. 99, 1.

1. On ne voit pas où Jean a pris cette étymologie de *kérūb*. La racine

supérieur qui est désigné par ce nom d'en bas, chérubin? Nous voulons dire ceci : ceux qui délimitent un lieu ne sont pas des corps, bien que ce soit un mot de chez nous qui est employé pour les désigner. Ce mot a dans leur monde un autre sens que chez nous où il signifie « limite d'un lieu ». Néanmoins, quand l'Écriture veut exalter le mystère de leur science, elle les appelle de ce nom. De même que, dans notre monde, ce mot est utilisé pour délimiter un lieu, de même nous regardons le troisième ordre appelé Chérubins comme celui dont la science marque la limite de celle que possèdent les ordres inférieurs. Ce que je veux dire ici n'est pas en contradiction avec ce que j'ai déjà affirmé. Ces mots doivent être pris chez nous dans un autre sens que chez eux. Si l'Écriture, qui est parole de vérité, dit : « Il a chevauché », « Il siège », « Il chevauche », cela doit-il être pris au sens littéral ou ne désigne-t-il que leur apparence extérieure? Mais parce que le langage ne peut exprimer que l'apparence corporelle, il applique ces apparences corporelles à Dieu, aux anges et aux démons. Et quand nous voyons appliquer ces apparences corporelles à tout ce qui est invisible, il faut entendre cela dans un sens différent suivant qu'il s'agit de Dieu, des anges ou de nous. Il faut surtout éviter de tout embrouiller inconsidérément, afin de bien distinguer les connaissances et comprendre d'après les **32** dispositions divines quel est le sens et la portée de ces mots.

Puisque tu m'as demandé de te parler de cette économie spirituelle d'en haut, je vais t'expliquer les mots « Il siège et il chevauche » selon le sens mystérieux qu'ils ont dans ce

k r b n'a guère laissé de traces en hébreu et la recherche de son sens exact a donné lieu à de nombreuses hypothèses. Selon E. Dhorme, « Les Chérubins », *Revue Biblique,* 1926, p. 328-339, dans les textes akkadiens on trouve un dieu « kâribu », intercesseur placé à l'entrée de chaque sanctuaire et chargé d'intercéder pour les fidèles après qu'ils ont quitté le lieu saint. Dans la suite, cet orant divin fut « embrigadé dans cette armée défensive que les religions du passé postaient à l'entrée des édifices publics pour en empêcher l'accès aux puissances mauvaises » (*ibid.,* p. 339).

contexte. «Il chevauche» signifie «il habite». Comme aussi dans ce texte : «Chantez au Seigneur qui chevauche dans les cieux des cieux[q]», l'expression «il chevauche dans le ciel» signifie : il habite dans le ciel. Siéger signifie habiter selon la parole de l'Écriture : «La montagne que Dieu a choisie pour y siéger[r]», c'est-à-dire pour y habiter. Et il poursuit : «Car le Seigneur y habitera éternellement[r].» Il appelle montagne le pays de Juda, selon la parole de l'Écriture : «Le mont Sion où tu fis ta demeure[s].» Il ne faut pas comprendre «habiter» au sens de «siéger en un lieu», mais à celui d'accomplir là des signes. «Tu es saint et tu sièges dans sa gloire, Israël[t]» signifie : il habite là par ses prodiges. Ainsi par ces mots : «Il siège sur les Chérubins», il veut dire qu'il habite en eux. Car de quiconque le perçoit on dira que c'est là qu'il habite. Mais parce que, parmi ceux d'en haut et ceux d'en bas, il n'en est point qui connaissent le mystère divin à l'égal de l'ordre des Chérubins, seuls ces derniers sont appelés le trône de Dieu. C'est pourquoi, mets-toi bien dans l'esprit que partout où il dit : «Il siège sur les Chérubins», cela signifie que, d'après le mystère spirituel de là-bas, il habite en eux par son mystère divin. De même la parole de l'Écriture : «Israël est saint et siège dans sa gloire[t]» signifie que lui, c'est-à-dire sa gloire, habite dans le royaume, le sacerdoce et la prophétie du Peuple et ne désigne pas une façon extérieure de s'asseoir.
33 Ainsi nous devons comprendre ces mots : «Il siège sur les Chérubins», au sens de : «Il habite près d'eux.»

Si tu passes en revue les expressions de l'Écriture, tu trouveras aussi l'affirmation contraire dans ces paroles : «Le ciel est son trône et la terre l'escabeau de ses pieds[u]», et ailleurs : «Il a mesuré les cieux à l'empan et jaugé toute la terre au boisseau[v].» Comment ces paroles que nous venons de citer ne seraient-elles pas contradictoires ? Car «le ciel est

q. Ps 68, 34. || r. Ps. 68, 17. || s. Ps. 74, 2. || t. Ps. 22, 4. || u. Is. 66, 1. || v. Is. 40, 12.

son trône» signifie qu'il est limité à l'intérieur du ciel. Et «il mesure à l'empan» signifie que Dieu le limite avec une petite mesure. C'est pourquoi, mon cher, nous allons chercher la raison pour laquelle ces paroles ont été dites. Alors, dans la mesure du possible nous connaîtrons tout de façon ordonnée.

THOMASIOS : J'aurais donc l'explication de tout cela?

JEAN LE SOLITAIRE : Ces paroles : «Le ciel est son trône et la terre l'escabeau de ses pieds» sont dirigées contre ceux qui conçoivent la gloire de Dieu de façon corporelle, en s'imaginant qu'il habite en un lieu comme un homme dans sa maison. C'est pourquoi il s'élève contre une telle conception et leur rétorque en disant : «Pourquoi pensez-vous que je me suis choisi un lieu ou que je me suis délimité un petit espace pour ma maison? Voici que le ciel est mon trône et la terre l'escabeau de mes pieds.» Ces mots : «Il a mesuré le ciel à l'empan» sont dirigés contre la façon de penser de ceux qui adorent les statues et se représentent Dieu sous une forme humaine. C'est pourquoi il a mesuré tout le lieu du séjour des hommes, ainsi que la hauteur de notre monde avec une petite mesure. Au lieu de **34** réduire Dieu à la taille de l'homme et de le rendre semblable, dans votre égarement, à une statue faite par un artiste, sachez que non seulement une maison ou une ville, mais pas même le ciel et la terre et tout ce qu'ils renferment, ne suffisent à contenir la demeure de Dieu, parce que le ciel, il le mesure à l'empan, et la poussière de la terre il la jauge avec le boisseau, et parce que toute la création et tout ce qu'elle renferme tient, pour ainsi dire, dans la paume de sa main.

Après que tu as entendu la raison de tout cela et le sens dans lequel il l'a dit, écoute-le maintenant selon une science supérieure au corps. Crois-tu, mon frère, que parce qu'il a dit : «Le ciel est mon trône et la terre l'escabeau de mes pieds», il siège dans le ciel et a posé ses pieds sur la terre? En réalité il a voulu nous faire comprendre par là qu'il n'est pas divisé, qu'il n'est pas en partie au ciel et en partie sur la terre. Il est comme celui qui est assis sur un trône : son image y apparaît dans toute sa beauté, tandis que l'escabeau n'en laisse deviner que peu de chose. De même, Dieu a manifesté aux multitudes célestes l'inépuisable beauté de ses mystères. Quant à nous, nous n'en voyons et connaissons qu'une petite partie, ainsi que l'a dit Paul : « Nous connaissons bien peu de choses[w]. » Pour que tu sois convaincu que l'ordre des Chérubins et des Séraphins est supérieur à celui des anges, sache que c'est la raison pour laquelle les premiers n'ont pas été envoyés dans le monde. Car ils n'ont nul besoin de voir notre monde pour connaître leur propre grandeur ou pour tirer profit des mystères de l'économie qui s'est déroulée dans notre monde[1].

35 Les multitudes des saints anges n'ont pas été envoyées pour qu'à la vue de notre monde, ils progressent dans la connaissance de Dieu. Mais ils étaient des médiateurs envoyés pour nous faire percevoir l'existence d'une réalité plus grande que notre monde et nous révéler le mystère spirituel du ciel. Et à la vue de notre monde, leur gloire grandit immensément à leurs propres yeux quand ils voient que leur nature est supérieure à la nôtre, qu'elle n'est pas sujette au besoin comme la nôtre, ni exposée aux maladies et à la souffrance. Mais leur nature glorieuse est supérieure à tout ce que contient notre monde.

Que dans sa miséricordieuse bonté, Dieu nous transforme, nous et le monde, par la révélation de Jésus Christ notre Seigneur. A lui la gloire pour les siècles. Amen !

Fin du troisième Dialogue.

w. I Cor. 13, 9.

1. La possibilité de la connaissance, soit dans le monde spirituel soit dans le monde matériel, implique l'existence d'une hiérarchie entre les êtres créés. Ce thème sera développé dans le *Dialogue* IV, 36 s. Cf. Introd., p. 38.

IV

Quatrième Dialogue avec Thomasios sur l'extrême variété des êtres créés par Dieu, sur tout ce qu'il a opéré dans la nature et hors de la nature. Et d'autres sujets[1].

Le lendemain matin, après qu'ils furent entrés chez Jean et eurent prié, THOMASIOS dit :

Si l'amour de Dieu pour ses créatures est parfait, pourquoi a-t-il créé les multitudes d'en haut dans toute cette grandeur, donné la prééminence aux Chérubins sur les Séraphins, aux Séraphins sur les anges et aux anges sur les hommes? Pourquoi a-t-il établi le genre humain dans cette condition inférieure et fait les hommes si différents les uns des autres en grandeur et en avantages, et cela dès la création? Car enfin, les êtres spirituels ne chantaient pas sa gloire avant d'être créés pour que leur louange l'incite à les créer dans une nature glorieuse, ni les hommes ne le blasphémaient avant d'exister pour que leur impiété le pousse à les créer dans une nature faible et indigente[2].

36

JEAN LE SOLITAIRE : L'activité créatrice de Dieu dans les mondes est ineffable. Par mondes, je ne veux pas dire ceux dont parlent les Valentiniens qui ont distingué une multitude de régions et de mondes. Par «mondes», j'entends le

1. C'est surtout de ce *Dialogue* que, selon Strothmann, a été extrait le vocabulaire utilisé pour la rédaction de la notice hérésiologique de Bar Koni sur Jean d'Apamée, auteur gnostique. Cf. R. LAVENANT, «Le problème de Jean d'Apamée», *OCP* 46, 1980, p. 379-382 et 388-390.

2. Cf. Introd. p. 37.

monde des anges et celui des hommes[1]. Si ces deux mondes étaient égaux en grandeur, on ne pourrait même pas connaître cette grandeur. L'exemple suivant va nous aider à comprendre cela. Pourquoi disons-nous que le roi est grand? C'est évidemment parce que les autres sont inférieurs à lui. Pourquoi nous apparaît de façon si évidente la dignité du général commandant en chef? Il est clair que c'est à cause de l'existence des grades inférieurs au sien. Si tous les habitants du pays avaient reçu la même dignité, ils ne se rendraient même pas compte de la dignité de leur rang, parce qu'ils seraient tous sur un pied d'égalité. Leur grandeur ne leur apparaîtrait pas parce qu'ils ignoreraient ce qu'est la petitesse. Nous disons la même chose de la connaissance. Si tous les mondes avaient le même degré de connaissance, ils ne pourraient même pas percevoir l'existence de cette connaissance. Que pourraient-ils connaître, s'il n'y avait rien de plus grand ni de plus petit qu'eux, pour s'y mouvoir et saisir les distinctions inhérentes à la connaissance[2]? Si tout était de la même couleur, la vue n'existerait plus parce qu'elle ne pourrait rien distinguer. Car comment la vue pourrait-elle distinguer, si aucune **37** distinction n'existait entre les choses? La vue dans ce cas devient une non-vue. C'est comme lorsque l'on se trouve dans une pièce obscure : on ne voit qu'une couleur, celle de l'obscurité. Comme il n'y a pas plusieurs couleurs distinctes, le regard ne cille même pas pour les distinguer l'une de l'autre et se porter sur les objets. De même, s'il n'y avait qu'un seul degré de connaissance, ce serait une connaissance morte, parce qu'elle n'aurait pas d'impulsion pour la mettre en mouvement. Quelle impulsion recevrait-elle si elle ne pouvait se porter sur aucun objet plus grand

1. Jean, on peut le constater ici, prend ses distances vis-à-vis des Valentiniens, partisans d'une gnose qu'il refuse de prendre à son compte.

2. Sur l'importance du mouvement dans la nature humaine, cf. Introd., p. 38.

ou plus petit qu'elle? Elle resterait figée dans une torpeur muette. Il n'y aurait pour ainsi dire plus rien de vivant : tout serait mort. C'est pourquoi, dans la joie d'avoir compris tout cela, nous disons que tout ce que Dieu a fait est équitable.

En ce qui concerne les mondes, je vais me servir d'une comparaison empruntée à la structure du corps, pour te faire comprendre mon raisonnement. De même que le corps est pourvu de membres, les uns plus nobles que les autres, et qu'il a besoin et des uns et des autres, de même les mondes ont été constitués de puissances glorieuses supérieures à la classe des hommes, et pourtant dans tous l'activité créatrice de Dieu est parfaite. Bien que la vue rende les yeux supérieurs aux doigts, parce que c'est dans les yeux que se trouve la lumière, néanmoins, lorsque le corps est enchaîné, ce sont les doigts seuls qui peuvent fonctionner utilement. Bien que les ordres spirituels soient plus glorieux que les hommes, cependant ceux-ci communient aux mystères de Dieu.

38 De même que le corps serait incomplet s'il n'avait qu'un membre, de même l'activité créatrice de Dieu ne serait pas parfaite si elle n'avait créé qu'une chose. De même que la multiplicité des membres, grands et petits, manifeste la richesse du corps, de même l'existence de mondes de toutes dimensions manifeste la richesse de Dieu. Et tout ce qu'ils contiennent est un enseignement universel. L'ordre des Chérubins n'ajoute rien au Maître de l'univers qui leur a donné la prééminence sur toutes les Puissances célestes. Et le genre humain, avant d'exister, n'avait commis aucune faute pour être créé inférieur aux saints anges. Mais la prééminence des êtres d'en haut est plutôt une aide universelle qui nous donne de connaître une espérance plus excellente que nous et nous manifeste la richesse créatrice de l'œuvre de Dieu. Et la petitesse des êtres inférieurs montre les splendeurs des êtres supérieurs et la puissance de Dieu qui, dans une nature inférieure et méprisable, a opéré une économie glorieuse. C'est dans la nature qui a beaucoup de difficultés à être spirituelle que Dieu s'apprête à manifester l'efficacité de sa puissance. Alors que les hommes ne sont naturellement que poussière, ils sont destinés à recevoir la spiritualité des saints anges, et cela comme s'ils avaient une nature glorieuse. Si donc tout être par sa science intérieure et son essence visible était comme les anges et si Dieu par son activité créatrice n'avait fait apparaître qu'une seule nature, on ne pourrait pas savoir qu'il a fait quelque chose de grand[1].

Expliquons par quelques exemples ce que nous venons de dire. Le soleil et la lune sont grands parce que les étoiles sont plus petites qu'eux : apprendrions-nous à connaître la 39 richesse de Dieu si tous les astres étaient comme le soleil ou s'il n'y avait, comme c'est le cas, de nombreuses différences entre eux? Serions-nous émerveillés par la richesse de l'activité créatrice de Dieu, si, au lieu de créer beaucoup d'espèces d'oiseaux, il n'avait créé que l'espèce des aigles? Serions-nous en admiration devant la diversité de toutes ces hordes d'animaux, si toute la classe des quadrupèdes était réduite aux éléphants? L'activité créatrice de Dieu ne serait pas aussi admirable, si, au lieu de créer une grande variété de pierres, il avait fait de toutes les pierres des perles. Les perles n'auraient plus grande valeur, puisque tout serait des perles. Si tous les animaux étaient comme les hommes, on ne pourrait pas reconnaître la dignité de ceux-ci. C'est pourquoi nous connaissons la richesse de Dieu grâce aux nombreuses différences qu'il a mises entre les êtres : par la hauteur et la profondeur, par les forces qui se sont manifestées et celles qui n'ont pas été nommées, par les réalités glorieuses d'en haut dont aucune image d'ici-bas

1. La hiérarchie entre les êtres créés a été voulue de Dieu. Elle n'est donc pas le résultat d'une dégradation ou d'une chute dans la matière. Et même le fait de savoir notre condition inférieure à celle des anges doit susciter en nous l'espérance d'atteindre un jour à leur condition glorieuse. Cf. *Gespr.*, 58, 18.

ne peut donner une idée, par la vérité à venir dans les choses invisibles et visibles, par les réalités présentes et à venir, par les anges et les hommes, par les connaissances supérieures et inférieures, par les animaux grands et petits, par la mer et la terre, par les diverses espèces d'oiseaux et la multitude des reptiles et d'autres animaux innombrables. Même ces êtres petits et méprisables sont une manifestation de la bonté, de la Providence, de la longanimité et de la douceur de Dieu : de sa bonté parce qu'il comble notre indigence, de sa Providence, parce qu'il nous protège de ce qui nous nuit, de sa longanimité, à cause de notre désobéissance, de sa douceur parce qu'il pardonne notre colère.

THOMASIOS : Est-ce donc par ces êtres méprisables qui **40** ont été créés pour être nos ennemis et nous nuire, par les animaux, les serpents, les scorpions et les vipères, que nous apprenons à connaître la Providence de Dieu sur nous?

JEAN LE SOLITAIRE : C'est par les choses qui nous sont nuisibles ou non que Dieu montre sa Providence à notre égard.

THOMASIOS : Si Dieu se sert des choses contraires et nuisibles à l'homme pour montrer sa sollicitude envers lui, montre-t-il aussi qu'il s'occupe de toute l'espèce des oiseaux, des reptiles, des poissons, des animaux terrestres et, pour ainsi dire, de tout ce qui a un adversaire et que ce n'est pas qu'occasionnellement qu'ils sont protégés?

JEAN LE SOLITAIRE : Il montre sa Providence à notre égard, surtout par le fait que ces êtres ne sont pas protégés. Tout être a son contraire et en subit du dommage. Étant donné que l'homme est, de tous les êtres, celui qui est le plus à l'abri du dommage, cela signifie que la Providence de Dieu s'exerce avant tout à l'égard du genre humain. A la vue des maux que subissent les espèces des oiseaux et les autres animaux, de la part de leurs ennemis, et en voyant combien nous, nous sommes protégés, nous réalisons la sollicitude de Dieu à notre égard. Si Dieu n'avait pas du tout créé de reptiles, ni d'êtres nuisibles, nous n'apprendrions pas combien il est secourable et nous protège. Comment apprendrions-nous qu'il nous garde, s'il n'y avait rien pour nous nuire? Si les hommes étaient protégés de tout dommage venant des reptiles et des démons, nous 41 ne saurions pas que ces êtres sont nuisibles, du fait qu'il n'y aurait personne qui en subisse dommage. C'est pourquoi il permet que quelques individus soient en butte à leur méchanceté pour manifester ainsi sa Providence. C'est lorsque les choses nuisent à la nature humaine que se révèle au plus haut point sa Providence à notre égard. Aussi, que celui qui jouit de la tranquillité, ne s'enorgueillisse pas. S'il permettait que chacun soit en butte aux désagréments, il n'y aurait plus personne de vivant. Et que celui qui est harcelé par la tentation ne perde pas cœur. Cela ne veut pas dire qu'il est plus pécheur que ses congénères, mais c'est pour l'instruction d'autrui. Ainsi ceux sur qui tomba la tour de Siloé[a] servirent de leçon aux gens de Jérusalem. Et aussi ceux qui ont reçu un don glorieux – qu'il s'agisse des anges, des Séraphins ou des hommes qui ont été les instruments de l'économie divine –, ce n'est pas uniquement parce qu'ils possédaient eux-mêmes la grandeur des êtres supérieurs.

Je vais te le montrer clairement par l'exemple des justes. Toute cette gloire qui échut à Jean-Baptiste par l'envoi de Gabriel et la vision dans le Temple, par le prodige que fut pour le peuple le silence du prêtre, par l'annonce de sa conception, l'attribution de son nom, le déliement de la langue de Zacharie, le don de l'Esprit-Saint dans le sein maternel, son éducation au désert, la révélation divine à son sujet, son rôle qui était de mettre fin à l'économie ancienne, en somme toute cette grandeur qui s'est manifestée en lui, ce n'était pas pour lui, mais pour tous les peuples, pour que tous ceux qui le veulent aient part à ce qu'il a reçu. De même Moïse, qui avait été choisi comme

a. Lc 13, 4.

chef pour sauver le peuple, était un médiateur entre Dieu et celui-ci. Il eut des visions divines, fit des prodiges en changeant les éléments et jouit de l'intimité du Maître de l'univers. Dieu lui parla, lui donna la Loi de ses mains très **42** saintes et lui fit bien d'autres faveurs. Tout cet honneur et cette intimité qui lui furent donnés, ne signifiaient pas que Dieu n'aimait que lui, mais tous ces dons étaient faits à cause du peuple d'Israël. Et quant à Israël lui-même, toute sa grandeur lui a été accordée à cause de l'humanité. Qu'est-ce que Moïse a reçu de Dieu qui soit resté ignoré du peuple? Dieu voulait instruire tous les hommes par son admirable économie, et cependant il n'a choisi pour être médiateurs entre lui et les hommes que ceux qu'il en savait dignes et qui avaient une conduite vertueuse. Ce n'est pas qu'il aimât seulement ces hommes-là, mais parce qu'il n'était d'aucune utilité qu'il se fît voir de tout un chacun. D'abord à cause de l'égarement des hommes et ensuite parce que tout le monde n'était pas capable d'assumer cette mission. Alors il choisit ceux qu'il savait aptes à manifester ses prodiges.

Un homme qui est à la tête d'une fortune considérable et qui en confie la gestion à l'un de ses serviteurs, semble à ceux qui ne le connaissent pas n'avoir d'amour que pour cet homme. Pourtant ce riche avait manifesté l'intention de faire profiter les autres de cette gestion et de mettre en commun tous ses gains. Néanmoins s'il a choisi ce serviteur, c'est parce qu'il était le plus digne de confiance et c'est pourquoi il lui a remis la gestion de sa fortune. Dieu a agi de même avec les saints. Il ne les a pas établis seulement comme chefs pour Israël, mais l'élection d'Israël lui-même **43** était pour l'instruction de toutes les nations. Par toutes ces actions glorieuses, Dieu a manifesté sa providence à l'égard de son peuple : par la sortie d'Égypte, par les signes terrifiants qui se produisirent, des apparitions dans le ciel, des prodiges sur la terre, des trésors emportés par les gens, l'exode précipité, la porte de la mer, la colonne lumineuse, la nuée qui les couvrait de son ombre, la ténèbre derrière eux, la lumière devant[b], la montée de la mer[c], la noyade des Égyptiens[d], l'arrivée du peuple au désert, la vision divine, le rassemblement des anges[e], le son de la trompe[f], la nuée lumineuse, le feu ardent[g], la nourriture venue du ciel[h], les oiseaux, la préservation des chaussures (de tout le peuple)[i], l'incorruptibilité des vêtements[j], des signes étonnants, l'extermination des peuples, la prise de leur pays en héritage, ainsi que tous les autres prodiges innombrables. Toute cette splendeur, il ne la leur a pas donnée pour eux, mais pour toutes les nations. Le peuple d'Israël a été glorifié en ce temps-là à cause des nations. Dieu n'aimait pas Israël plus que les autres peuples. (Si l'on dit qu') il accomplissait toute cette économie en Israël et livrait tous les peuples à sa merci en les soumettant à son pouvoir, parce qu'il aimait Israël plus que les autres peuples, alors (il faudrait dire qu') il a aimé les Babyloniens plus que les Israélites, puisque les Babyloniens ont emporté les richesses des Israélites, le beau mobilier et les trésors de leur Temple, et emmené leurs rois en captivité. Si donc ce n'est pas à cause de son amour pour les Babyloniens qu'il leur a livré les trésors d'Israël et qu'il a si bien sauvé les armées de Nébukadnésar de la destruction qu'elles ont pu soumettre les Israélites et les réduire en servitude, ce fut **44** parce que le peuple s'était détourné de Dieu pour adorer les idoles. Dieu les livra à la destruction pour que leur détresse les amène à comprendre qu'il était le Dieu unique. De même, ce n'est pas parce qu'il aimait Israël plus que les autres peuples, qu'il lui a livré les trésors de ceux-ci et la richesse de leurs rois, en semant la mort et la destruction dans toute la Palestine, mais, pour que, par ce peuple qu'il s'était choisi et auquel il avait donné son nom, il enseigne

b. Cf. Ex. 13, 21. || c. Cf. Id. 14, 22 || d. Cf. Id. 14, 27. || e. Cf. Id. 32, 34. || f. Cf. Id. 19, 16. || g. Cf. Id. 3, 2. || h. Cf. Id. 16. || i. Cf. Id. 3, 5. || j. Cf. Id. 28, 2.

par une prospérité qui subjuguait toutes les nations qu'il était le Dieu Créateur du monde. Il n'a pas donné toute cette grandeur à Israël parce qu'il l'aimait : c'était à cause des péchés des nations. Ainsi que l'a dit son chef Moïse : «Ce n'est pas pour ta justice que t'est échu ce pays, mais c'est à cause des péchés des nations que Dieu les a livrées entre tes mains[k].» Et pour que l'enseignement divin fasse progresser les nations, le peuple d'Israël a été rendu digne d'être l'intime de Dieu. En bref, Dieu devait se choisir un peuple entre tous, pour que les prodiges opérés en son sein lui permettent de manifester la puissance de son être divin. S'il avait été présent dans tous les peuples, ceux-ci ne l'auraient pas reconnu. Car s'il s'était révélé à chaque peuple, chaque peuple aurait cru que c'était son propre dieu qui se révélait à lui et opérait chez lui des prodiges. Mais, ainsi que je l'ai dit, grâce à l'élection d'un seul peuple, qui fait que ce peuple est appelé peuple de Dieu, les autres peuples voient les signes admirables opérés en son **45** sein et qui, parce qu'ils ont lieu seulement chez lui, leur enseignent que l'auteur de ces prodiges dans ce peuple, c'est le Dieu créateur de l'univers. Quand donc il restreint toute la prescience prophétique, les signes merveilleux et la vision de la révélation à ce peuple seulement et que rien de cela n'a lieu chez les autres peuples, comment ne serait-il pas évident que, par là, il leur enseigne que l'auteur de ces prodiges dans ce peuple, c'est lui, le Dieu véritable, et que les autres dieux ne sont rien, puisqu'ils ne font aucun de ces prodiges dans leurs peuples?

THOMASIOS : Tu as parlé fort abondamment. Cependant, pour que tout cela se grave intelligemment dans mon esprit, je voudrais que tu me montres comment nous savons que la Providence divine à l'égard du peuple d'Israël avait pour but de faire progresser les autres peuples dans la connaissance de Dieu.

k. Deut. 9, 5.

JEAN LE SOLITAIRE : Écoute d'abord pourquoi le peuple a été choisi pour l'économie. Ensuite je te montrerai pourquoi la providence de Dieu s'exerce à l'égard des autres peuples. Dans sa bonté inépuisable, Dieu a créé ce monde visible pour que tous ses habitants, grâce à l'existence de ces éléments et l'exact accomplissement de leur rôle, reconnaissent et confessent le Dieu Créateur. Mais ces peuples, ne comprenant pas le sens de la création, n'ont pas reconnu le Dieu caché, parce que l'action divine dans ces éléments était invisible et que seule une recherche très persévérante de la sagesse pouvait faire reconnaître Dieu à **46** ses œuvres. C'est pourquoi, comme les nations avaient délaissé Dieu pour adorer les idoles, Dieu mit en œuvre de façon visible dans le peuple d'Israël une autre économie plus puissante que la nature. Par les signes merveilleux opérés en Israël – signes qui avaient pour objet toutes sortes d'éléments –, les nations devaient apprendre que seul le Créateur des éléments pouvait les accomplir.

Maintenant que tu as appris la raison de l'élection d'Israël, sache que c'est aussi pour l'instruction des nations qu'il a été choisi. Le prophète Ézéchiel raconte que, lorsqu'ils étaient en Égypte, les Israélites s'étaient égarés dans la religion égyptienne et que Dieu voulait faire venir sur eux sa colère. Cependant il s'en abstint pour que les Égyptiens ne s'imaginent pas qu'après avoir fait sortir les Israélites du pays, il avait été incapable de mener à bien ce dessein et que sa puissance manifestée aux Égyptiens par l'exode perdrait tout prestige s'il détruisait le peuple. C'est pourquoi il dit : « J'ai dit que j'assouvirais sur eux ma colère au pays d'Égypte. Mais j'eus égard à mon nom et je fis en sorte qu'il ne fût pas profané aux yeux des nations, car je leur avais déclaré que je ferais sortir mon peuple à leurs yeux du pays d'Égypte[1]. » Par leur exode, dit-il, je veux manifester ma grandeur aux yeux des nations qui ne

1. Éz. 20, 8 s.

me connaissent pas. A la vue des prodiges que j'opérais en les retirant sans combat d'un royaume aux nombreuses armées, ils devaient apprendre, en voyant la transformation des éléments et le signe de leur exode, que je suis le Créateur du monde[m]. Mais que dois-je faire, dit-il? Le peuple que je me suis choisi pour enseigner aux nations mon invisible divinité est plus pécheur qu'elles. Si j'avais fait venir sur lui en Égypte un juste jugement, les Égyptiens auraient cru que leurs dieux l'ont tué, parce qu'il a **47** voulu sortir de leur pays. Et sa mort leur aurait fait croire que j'ai été vaincu par leurs dieux. La manifestation de ma force et de mes prodiges au milieu d'eux, pour faire connaître mon nom sur toute la terre et faire savoir que moi seul je suis le vrai Dieu, aurait été annulée par la destruction d'Israël. Mais parce que cela ne doit pas être et bien qu'ils ne le méritent pas, j'ai eu pitié d'eux. « Je les ai épargnés à cause de mon nom, pour qu'il ne soit pas souillé, ni tourné en dérision parmi les nations[n] » et j'ai commencé à me manifester à eux par l'exode. Si je n'avais pas pardonné leur iniquité, ni ne les avais fait sortir du pays d'Égypte, les nations auraient dit que les dieux des Égyptiens ont eu raison de ma force invincible. J'ai pardonné non parce que les Israélites en étaient dignes, mais pour que mon nom ne soit pas tourné en dérision parmi les nations.

Lorsque, après leur merveilleuse délivrance, ils arrivèrent au désert et que dans leur égarement ils eurent érigé, bien en vue, la statue d'un veau comme idole[o], et que, par leur rébellion, ils allaient au-devant de la colère exterminatrice, Dieu, dans sa miséricorde leur pardonna leur impiété pour l'enseignement des nations. Bien qu'ils eussent mérité en toute justice que la colère vienne sur eux, Dieu leur montrait pourquoi il leur pardonnait : ce n'était pas à cause d'eux, mais pour l'enseignement des nations. « J'ai dit que

m. Cf. Éz. 36, 23. || n. Éz. 20, 9. || o. Cf. Ex. 32, 4.

j'allais déverser sur eux ma colère dans le désert et que je les exterminerais, mais j'ai eu égard à mon nom, pour qu'il ne soit pas profané aux yeux des nations, à la vue desquelles je 48 les avais fait sortir[p]. » Peut-être qu'en voyant leur extermination, les nations croiraient que je n'ai pas été capable de les faire entrer dans le pays promis à eux en héritage et que je les ai fait périr dans le désert. Comme Moïse, mon élu, l'a dit dans sa prière : « Que les nations apprennent que tu as fait sortir ton peuple avec une main puissante et un bras étendu et ton nom a été connu parmi les nations grâce aux grandes actions que tu as faites[q]. » Dès lors, quand elles apprendront que tu vas tuer ton peuple, les nations diront : « Parce que tu n'as pu les faire entrer dans le pays que tu as promis à leurs pères, tu les tues dans les montagnes[r]. » « Tu fais ce qui est conforme à ta justice[s]. » Mais les nations qui apprendront leur extermination, ne connaissent pas le mystère de ta justice. Elles penseront que, parce que tu n'as pas pu vaincre leurs dieux, tu as été incapable de faire entrer ton peuple dans son pays.

Et Josué, fils de Noun, comme quelques-uns des siens avaient été mis en déroute par les fils de Aï, fit le même genre de prière : « Les nations, dit-il, se coalisent contre nous et nous exterminent de dessous le ciel. Alors, que feras-tu pour ton grand nom[t] ? » En faisant sortir ton peuple et par les prodiges que tu as opérés pour le sauver, ton nom a été connu parmi les nations. Maintenant, si tu extermines ton peuple, les nations oublieront ton grand nom. Lorsque le prophète Ézéchiel relate leur dispersion parmi les peuples, il dit : « Je les ai jugés selon leur conduite et selon leurs œuvres. Et parmi les nations où ils sont venus, ils ont profané mon saint nom[u]. » Je les ai choisis pour qu'ils se conduisent avec justice, pour que par eux je puisse éduquer les nations et que celles-ci, constamment

p. Éz. 20, 13 s. || q. Cf. Ex. 32, 12. || r. Ex. 32, 12. || s. Cf. Ex. 32, 11 s. || t. Jos. 7, 9. || u. Éz. 36, 19 s.

vaincues par le peuple qui porte mon nom, apprennent **49** l'impuissance de leurs dieux et ma puissance invincible; mais au lieu de cela , il s'est trouvé que même le peuple d'Israël a profané avec les idoles le pays qu'il a reçu en héritage. Alors, comment les nations apprendraient-elles la vanité de l'idolâtrie, si je laissais faire et me taisais? C'est pourquoi, voulant enseigner à toutes les nations que, moi seul, je suis Dieu et que m'est due l'adoration, j'ai déversé ma colère sur le peuple qui porte mon nom, pour qu'en voyant la dispersion de mon peuple et son départ de son pays, les nations sachent que c'est à cause de leur égarement idolâtre que je me suis fâché contre eux. Bien que j'agisse avec justice, que je les juge selon leurs œuvres au point de les laisser emmener en captivité parmi les nations, ils ont fait en sorte que mon saint nom a été profané, à cause de ce que j'ai fait venir sur eux. Les nations ne pensent pas que c'est délibérément que je les ai livrés entre leurs mains, à cause de leur abomination. Au contraire, elles s'imaginent les avoir vaincus grâce à la puissance de leurs dieux. Ils ont fait en sorte que mon nom soit profané parmi les nations parce que je leur ai paru impuissant et incapable de les sauver. Voici que les nations disent en se moquant : « Est-ce là le peuple de Dieu? Le voici expulsé de son pays[v]. » C'est-à-dire : Est-ce là ce peuple si fier de son Dieu et invincible? Ils ne pensaient pas être livrés entre nos mains. Mais, pour ne pas accréditer l'opinion des nations qui croient que j'ai été vaincu et que ce n'est pas à cause de son impiété que j'ai livré le peuple, « j'ai eu égard à mon saint nom que la nation d'Israël a souillé parmi les nations chez qui ils sont allés[w] ». Le peuple ne méritait pas d'être délivré des nations, c'est pourquoi je dis : « Bien qu'il n'en soit pas digne, néanmoins, j'en aurai pitié à cause de **50** mon saint nom[x]. » Parce qu'ils ont été impies comme les nations, ils devaient subir le châtiment capital. Et parce

v. Id. 36, 20. || w. Id. 36, 21. || x. Id. 36, 22.

qu'il s'était fâché et les avait livrés aux nations, son nom fut profané parmi celles-ci. Ceux qui les avaient emmenés en captivité, ne pensaient pas que c'est à cause de leur idolâtrie que Dieu les avait livrés à eux, mais ils attribuaient à Dieu la défaite du peuple; quant à leur victoire, ils l'attribuaient à leurs propres dieux. C'est pourquoi il leur dit : « Si je vous retire du milieu des nations et vous rassemble de toutes les villes, ce n'est pas à cause de vous, c'est à cause de mon nom[y] », pour que, par votre rassemblement et votre victoire sur eux, mon nom soit sanctifié par vous, à leurs yeux, pour que, par votre délivrance, toutes les nations sachent que je suis le Seigneur[z].

Ce n'est pas seulement dans le peuple d'Israël qu'il a manifesté son économie pour se faire comprendre, mais aussi dans les autres peuples. Après avoir prédit la destruction de Gog, qui eut lieu en terre d'Israël, après le rassemblement de leur dispersion, Ézéchiel dit : « Je t'ai fait venir en mon pays, pour que les nations me connaissent quand j'aurai manifesté ma sainteté à leurs yeux[a]. » Si les nations, dit-il, n'apprennent pas à me connaître par mon peuple Israël, parce qu'elles croient faussement que c'est leur puissance qui leur a permis de déporter mon peuple, et que c'est par impuissance que j'ai laissé faire, alors c'est par toi qui es devenu une multitude considérable parmi les nations, que je montrerai ma puissance dans mon pays. Ce ne sont ni ta confiance en tes dieux, ni les nombreuses armées de ton peuple qui pourront t'apporter la victoire. Mais les nations doivent apprendre à me connaître, du fait que tu les livres à mon peuple et que tu es vaincu par un 51 petit peuple. Par la dispersion et la captivité de mon peuple, tu as profané mon nom, mais par son rassemblement consécutif à ta destruction, je serai, à leurs yeux, sanctifié par toi. C'est pourquoi, par la destruction de Gog,

y. Cf. Éz. 36, 24. || z. Cf. Éz. 36, 23. || a. Éz. 38, 16.

j'enseigne aux nations que si j'avais livré Israël entre leurs mains à cause de mon incapacité à le secourir, alors comment se fait-il que cette horde de Gog qui ne porte pas mon nom, a été détruite par mon peuple Israël?

THOMASIOS : Tu as bien établi, avec preuves, ce que tu viens de dire. Néanmoins, pour éclairer davantage notre sujet, je te poserai encore cette question : Si c'est pour amener les nations vers lui, que Dieu a favorisé son peuple de tous ces prodiges, pourquoi le choix de ce peuple n'a-t-il servi de rien aux nations et pourquoi toute cette économie n'a-t-elle pu mettre fin à leur égarement? Comment se fait-il que Dieu, sachant que les nations ne s'amélioreraient pas, a usé envers elles d'une économie qui ne leur était d'aucun profit?

JEAN LE SOLITAIRE : Même si cela n'a servi de rien aux nations, Dieu n'en a pas moins exercé son action. Ce n'est pas parce que les nations ne renonçaient pas à leur égarement qu'il allait cesser d'agir et de leur donner une occasion de le connaître . On n'empêche pas la pluie de tomber parce que les rochers et les pierres ne donnent pas de fruits, ni la lumière d'éclairer parce que les aveugles ne voient pas. De même que c'est le propre de la lumière d'éclairer, bien que les aveugles ne voient pas, et le propre du vent de souffler, bien que les rochers soient insensibles, de même le Créateur avait décrété dans sa sagesse de manifester la puissance de son action, même si les nations **52** n'obéissaient pas à ses enseignements. Ce n'est pas la folie des hommes qui lui a dicté la manière d'accomplir son économie, sinon elle manquerait de sagesse. De même qu'un peintre de talent qui veut faire œuvre artistique, n'a pas à tenir compte des gens incultes, incapables d'apprécier ce genre de choses et dont la stupidité lui ferait gâcher son ouvrage, de même aussi qu'il doit travailler en se pliant aux exigences de son art et non en suivant la manière de voir des ignorants, de même Dieu a-t-il placé l'image de son économie à la vue de toutes les nations pour les amener à reconnaître son unité divine. Ce n'est pas parce que les nations ont agi stupidement en n'accordant aucune attention à cette image, que Dieu allait renoncer à cette sage opération, et, en vue de les enseigner, présenter cette économie selon leur manière de voir. Au contraire, il a agi selon sa sagesse. Et les nations ont considéré son action sans aucune intelligence. Eussions-nous été créés mille fois meilleurs que nous ne sommes au plan de la nature et de la sagesse, la connaissance de l'enseignement divin ne pourrait pas ne pas être supérieure à notre façon de penser. Et si l'économie de sa sagesse n'était pas supérieure à toutes les créatures, celles-ci n'apprendraient pas à connaître sa supériorité sur elles et ne feraient aucun progrès dans cette sagesse. Tout homme s'enrichit en acquérant ce qu'il ne 53 possède pas et tout homme s'instruit en apprenant ce qu'il ignore, mais l'élève, quel qu'il soit, n'assimile l'enseignement du maître que selon ses capacités, même si cet enseignement dispense un savoir qui dépasse tous les élèves. A combien plus forte raison la Providence divine qui dépasse tous les hommes, n'est comprise de chacun que selon ses capacités, parce qu'elle est plus puissante que toutes les créatures. De même que la lumière solaire est trop forte pour la vision humaine et que chacun ne peut la fixer que selon sa capacité visuelle, car elle est insoutenable dans sa totalité, de même la sagesse de Dieu dans ses œuvres est trop puissante pour les nations et chacun ne la comprend que selon sa capacité, parce qu'elle dépasse toutes les idées qu'on s'en fait. C'est par les êtres créés et les Écritures que Dieu nous enseigne la sagesse de son action.

THOMASIOS : Puisque l'action de Dieu en Israël a eu lieu pour conduire à l'intelligence de Dieu, je voudrais savoir pourquoi, entre toutes les nations, c'est Israël qui a été choisi.

JEAN LE SOLITAIRE : Le peuple d'Israël a été choisi à cause du bienheureux Abraham dont il est le descendant, ainsi que le prophète Moïse l'a dit : « Parce que le Seigneur

Dieu a aimé tes pères et qu'après eux il a élu leur postérité[b].»

THOMASIOS : Pourquoi n'a-t-il pas élu la postérité d'un juste antérieur pour réaliser l'économie qui a été accomplie en Israël?

JEAN LE SOLITAIRE : Ainsi que je l'ai dit plus haut, je le **54** redis maintenant : Dieu pouvait par la création enseigner aux hommes l'existence de cette puissance invisible qui soutient le monde. Ils n'avaient pas encore besoin d'un enseignement explicite par des signes visibles, parce que jusqu'alors ils ne s'étaient pas mis à adorer les idoles. Lorsqu'ils commencèrent à se conduire mal et à pécher beaucoup, leur entendement fut trop perverti pour avoir l'intelligence de Dieu et ils se mirent à adorer des créatures, parce qu'ils croyaient qu'elles étaient la limite de tout et qu'en dehors d'elles il n'existait pas de puissance invisible qui rendît (ces créatures) capables d'accomplir leurs fonctions. Et en outre, en toutes occasions, ils se mirent à ériger des statues de héros. Et comme l'égarement ne s'était pas encore emparé de tous les hommes complètement après la construction de la tour, il n'accomplit pas cette économie au temps de leur dispersion aux quatre coins du monde. Mais dans sa miséricordieuse longanimité, il prit patience à leur endroit durant de nombreuses années. Néanmoins, lorsque cet égarement eut pris de grandes proportions parmi les Cananéens et les Égyptiens, qui sont les fils de Ham, il commença, à l'Est, en Perse, à donner ses enseignements à ce sujet, au moyen de signes visibles. Les gens de ce pays, qui sont des Sémites, n'en avaient pas autant besoin que les Hamites; car pour les Orientaux Sem est le père de leurs peuples et reste leur modèle pour l'enseignement. Lorsqu'il commença à accomplir l'économie, il choisit le bienheureux Abraham qui, par sa foi, **55**

b. Deut. 4, 37.

méritait que Dieu se serve de lui pour accomplir son économie.

THOMASIOS : Pourquoi Dieu ne s'est-il pas servi de Melchisédech pour cela? Cet homme était vraiment un juste, il était de la race de Ham et habitait en Canaan, ainsi que le montre l'écrivain Josèphe[1] dont les Histoires ont trouvé crédit chez les empereurs romains. Les docteurs de l'Église ont confirmé l'exactitude de ce qu'il a écrit. Eusèbe de Césarée lui-même témoigne dans son *Histoire Ecclésiastique*[2] qu'il s'est appuyé sur Josèphe. En outre, le nom du père de Melchisédech se trouve à la bibliothèque royale d'Alexandrie fondée et rassemblée par le roi Ptolémée qui y avait déposé un livre contenant quantité de renseignements sur ses prédécesseurs. J'ai lu autrefois un livre[3] qui parle du règne de Melchisédech à Jérusalem : c'est à cause des nombreuses constructions qu'y fit celui-ci, que la ville fut appelée d'après son nom, Jérusalem.

Un des frères présents, nommé ISIDORE, intervint : Ainsi, tu dis que Melchisédech descendait de Canaan et non de Sem, fils de Noé?

THOMASIOS : S'il descendait de Sem, pourquoi l'Apôtre dirait-il à son sujet : «Il est sans père, sans mère, sans généalogie, ses jours n'ont pas de commencement et ses années n'ont pas de fin[c]»? Or le père et la mère de Sem

56 sont nommés dans les généalogies : «Quand Sem eut cent

c. Hébr. 7, 3.

1. FLAVIUS JOSÈPHE, *Antiquitates Judaicae*, I, 180, éd. Weidmann, Berlin 1955, t. I, p. 44; *De bello Iudaico*, VI, 438, *id.* t. VI, p. 569.

2. EUSÈBE DE CÉSARÉE, *Histoire Ecclésiastique*, *SC* 31, 1952 : III, IX, 2, p. 115; III, X, 9-11, p. 117; cf. ÉPIPHANE, *Panarion*, *GCS* 31, p. 326; 55, p. 331; S. JÉRÔME, *Lettres*, *CUF*, Tome IV, Paris 1954, Lettre 73,5, p. 22-23, *GCS* 55, p. 20.

3. Le texte dans sa teneur littérale ne permet pas de décider s'il s'agit d'un livre de la bibliothèque d'Alexandrie ou d'un autre. D'où notre traduction «un» livre. Cf. A. DE HALLEUX, «La christologie de Jean le Solitaire», *Le Muséon*, 94, 1981, p. 18, note 51.

ans, il engendra Arpaksad et ensuite il vécut 500 ans[d].» Par là on connaît le commencement de ses jours et la fin de ses années.

ISIDORE : Ce n'est pas de Sem, mais du nom de Melchisédech que l'Apôtre a dit : «Ses jours sont sans commencement et ses années sans fin.»

THOMASIOS : Est-ce le nom de Melchisédech qui a servi de type au sacerdoce du Christ ou est-ce la personne de cet homme? Si c'est le nom, alors l'Apôtre a parlé de quelque chose qui n'existe pas réellement. Mais s'il s'agit de la personne de l'homme, alors l'Apôtre a dit que le sacerdoce humain était un type du Christ, comme Moïse a dit au sujet de Melchisédech «qu'il était roi de Salem», c'est-à-dire de Jérusalem, et qu'il apporta le pain et le vin, et qu'il était prêtre du Dieu Très-Haut[e].

ISIDORE : Je n'ai pas dit que c'est le nom de Melchisédech qui a servi de type au sacerdoce du Christ, et non la personne de l'homme.

THOMASIOS : Si ce n'est pas le nom, mais la personne de l'homme qui est visée ici, il est évident que c'est de la personne de l'homme et non pas de son nom qu'a parlé l'Apôtre. Le nom de Melchisédech n'est pas un surnom comme celui d'Israël pour Jacob, mais le propre nom de cet homme.

JEAN LE SOLITAIRE : Voilà qui est fort bien dit, et selon la vérité. Maintenant pose les questions que tu as à poser.

THOMASIOS : Sachant que Dieu ne fait jamais rien à la légère, je te pose la question suivante : Pourquoi, parmi tous ces peuples savants et sages, Dieu a-t-il choisi un Chaldéen? En effet, Abraham était d'Ur en Chaldée[f]. 57

JEAN LE SOLITAIRE : Tu as demandé pourquoi ce n'est pas Melchisédech qui a été choisi pour cette économie qui a été accomplie par l'intermédiaire d'Abraham. A cela je répondrai que Melchisédech a été choisi pour la fonction

d. Gen. 11, 10 s. || e. Id. 14, 18. || f. Cf. Gen. 15, 7.

sacerdotale et Abraham pour cette économie. Pourquoi a-t-il été choisi de préférence à un autre, écoute comment je comprends la chose.

Dans tous les pays, les sages ont pris pour Dieu un des éléments de l'univers; certains pensèrent que c'est l'air, parce qu'il est le souffle de toute chair; d'autres que c'est le ciel, parce qu'il est la limite de l'univers créé; pour d'autres c'est la terre, parce qu'elle porte toute chose. D'autres ont adoré l'eau et le feu, parce qu'ils entrent dans la composition de toute chose. Si Dieu s'était lui-même révélé à l'un de ceux qui pensent de cette façon, ces gens-là auraient cru que la chose qu'ils prenaient pour Dieu s'était révélée à eux. S'il s'était révélé à un Chaldéen, les gens auraient cru que cette révélation leur venait de la puissance des sept étoiles qu'ils appellent les sept dieux. Mais, parce que tous ces peuples se bornaient à regarder les éléments créés comme autant de dieux, sans que leur réflexion dépasse l'univers, pour chercher s'il n'existerait pas une puissance plus grande que tout le visible, pour cette raison, le Maître de l'univers ne se révéla à aucun d'eux pour ne pas les confirmer encore davantage dans leur égarement, et pour 58 qu'ils ne croient pas que ce qu'ils prenaient pour Dieu auparavant se manifestait maintenant à eux. Cependant Dieu se révéla au bienheureux Abraham, parce que tout son entendement se mouvait en lui. Il le fit entrer dans un pays où foisonnait l'erreur pour lui montrer comment, là où régnait l'idolâtrie, parvenir à la connaissance de Dieu. Ainsi que l'ont montré les écrivains anciens, les Égyptiens commencèrent par vénérer les statues et les animaux. C'est pourquoi Dieu fit entrer la postérité d'Abraham en Égypte pour que là où avait commencé l'idolâtrie, là aussi on commence à le connaître. Mon cher, nous voulons, par les choses visibles, saisir les réalités invisibles. De même que les actions glorieuses que Dieu a accomplies par les saints et toutes les merveilles qu'il a opérées dans le peuple d'Israël n'avaient pas pour but l'exaltation de ces grandes figures – car cela avait lieu pour tous les hommes –, de la même manière, ce n'est pas pour eux-mêmes seulement que les êtres d'en-haut jouissent de la gloire, mais pour nous aussi, de par l'espérance que nous avons d'y participer avec eux. Notre nature est faible non pas à cause de nous seulement, mais pour de nombreuses raisons que Dieu seul connaît et dont je t'ai parlé d'après ce que j'ai pu en saisir. C'est pourquoi toutes les créatures doivent rester dans l'humilité, pour que les grands et les faibles ne croient pas qu'ils sont seuls à être concernés par leur grandeur ou leur faiblesse. Mais dans l'attente de l'espérance à venir, conduisons-nous avec suavité. Dans ce monde, il n'y a rien de plus excellent qu'une conduite vertueuse par la foi **59** qui espère en Dieu. Que dans sa miséricorde, il nous rende dignes de cette espérance par la communion à ses mystères spirituels. A lui la gloire pour les siècles! Amen.

Fin du quatrième Dialogue.

V

Cinquième Dialogue du même Mar Jean le Solitaire sur ce thème : pourquoi malgré la transformation si grande et si élevée dont elle doit bénéficier, la nature humaine a-t-elle d'abord été créée en ce monde avec un corps composé?

Le jour suivant, après la prière, JEAN LE SOLITAIRE dit aux autres qui étaient présents : «Mes chers, vous savez que celui qui veut travailler dans les choses visibles et les mener à bien, a la foi. Si l'on ne croit pas que l'on peut tirer un bénéfice du commerce, on ne se met pas à en faire. Tous ceux qui ont construit les villages et les villes sur la terre des hommes ont commencé leur entreprise parce qu'ils croyaient en sa réalisation. Ceux qui connaissent les métiers en ont d'abord fait l'apprentissage, parce qu'ils ont cru qu'ils étaient capables de les apprendre. Pour ainsi dire, la foi entre en jeu dans la conduite de toutes les entreprises de ce monde. Si donc il en va ainsi pour les choses visibles et palpables dont la réalisation requiert la foi, à combien plus 60 forte raison, en ce qui concerne l'espérance invisible, ineffable, impalpable, incomparable, inconnaissable par les images et les comparaisons, dont la grandeur est insaisissable par notre petitesse, devons-nous avoir la foi transmise par notre Sauveur dans son économie, foi qui concerne l'espérance qu'il a prêchée dans le saint Évangile.

C'est pourquoi, mes chers, m'appuyant sur la foi en Dieu et la confiance en sa grâce, je vais parler d'un tel sujet, pour que vous trouviez profit à connaître l'espérance promise par Dieu et que moi aussi, en vue de l'enseignement de la Parole et d'après mes dispositions, je mérite de recevoir le don de la grâce.

THOMASIOS : Malgré mon admiration devant la grande espérance que tu viens de décrire, en la fondant sur la preuve indubitable de la bonté de Dieu, et malgré mon émerveillement devant l'économie divine, bien des questions que je voudrais maintenant poser me sont venues à l'esprit après mon départ de chez toi. Dieu a préparé pour les hommes mortels une gloire immense dans le monde infini et il doit leur faire connaître la richesse de sa sagesse par des mystères ineffables. Pourquoi cela ne leur a-t-il pas été donné dès le commencement, lors de leur création, surtout à ceux qui ont une conduite vertueuse, et pourquoi, au lieu de cela, les a-t-il créés d'abord dans une nature méprisable, faite de poussière et en butte à toutes sortes d'adversités? L'amour et la tendresse miséricordieuse de **61** Dieu ont consenti à créer le monde avec quantité de choses nuisibles et d'adversités, et c'est là d'abord que Dieu a placé les hommes, alors que ceux-ci ne jouissaient pas de la science pour comprendre l'économie divine. Au contraire, les causes qui les tiennent éloignés du mystère de Dieu, ne sont pas peu nombreuses : les péchés abondent, il est facile de tomber dans l'erreur, mais difficile d'enseigner les bonnes actions. La nature elle-même, par les convoitises peccamineuses, est cause de chute et elle n'est pas retenue par les nombreux commandements divins. L'homme n'a pas la crainte des terribles châtiments, ni ne se laisse séduire par les douces promesses. Et l'éloignement de Dieu a prévalu sur toute la terre, jusqu'à la révélation de notre Seigneur Jésus-Christ. Et même après l'accomplissement de l'économie ineffable, l'erreur a ressurgi partout aux quatre coins du monde et les hommes ne sont pas encore pleinement décidés à éviter le péché.

Comme toutes ces choses se passent dans cette nature, je suis étonné que la miséricorde de Dieu ait laissé le monde continuer dans cette voie durant des milliers d'années; comme Dieu avait prévu d'achever la nature humaine par une spiritualité supérieure et une sagesse dont la perfection réside dans l'amour pour lui, je te prie instamment de me dire pourquoi les hommes qui sont destinés à la parfaite spiritualité, ont été créés d'abord dans la corporéité.

JEAN LE SOLITAIRE : La connaissance des mystères de Dieu est cachée à toutes les créatures. Néanmoins cette 62 connaissance est révélée à chacun selon sa capacité. Dieu montre que les mystères sont incompréhensibles parce qu'ils résistent à tous les efforts qu'on fait pour les connaître, mais en les révélant un par un, il montre que sa sagesse dispense gratuitement le don de sa grâce. C'est pourquoi, mes chers, je vais en parler selon les capacités de mon entendement.

La nature divine, qui dépasse toute représentation de couleur, de forme et de personne et dont l'existence n'est connaissable que grâce à son économie, a voulu manifester sa puissance merveilleuse dans une nature petite et méprisable[1], pour que cette économie fasse connaître la puissance divine. C'est pourquoi Dieu a créé un monde composé et il y a placé une image composée comme le monde et prisonnière du besoin des choses créées, et il y a placé aussi l'opposé de tout ce dont le corps a besoin. Parce que le corps aime naturellement les convoitises, il a multiplié pour lui les désagréments dans son monde, afin de le maintenir dans la crainte et l'inquiétude, ce qui a pour effet de réprimer ses convoitises, d'affaiblir en lui le péché et l'empêche d'être captif de ce monde. En multipliant toutes ces choses contraires et ces adversités, Dieu a voulu contraindre le corps à ne pas réduire son espérance à ce monde-ci, mais, à la vue de ces multiples désagréments dans la création, à implorer le don de l'invisible. C'est pourquoi Dieu a mis dans le corps le besoin des éléments

1. Cf. Introd., p. 37.

de ce monde, pour que ce besoin, par les changements périodiques qu'il lui fait subir, fasse connaître à l'homme l'existence de la Providence divine[1].

Si Dieu avait manifesté aux mondes la puissance de son économie dans une nature glorieuse et excellente, cette économie n'aurait pas été aussi admirable que celle que sa sagesse a fait connaître dans une nature petite et méprisable. Il en va comme pour un artiste qui, désireux de **63** prouver son savoir-faire et son talent, prend de l'or ou de l'argent pour exécuter une statue magnifique et splendide à voir. Malgré les louanges adressées à son talent, on peut se demander si ce n'est pas la rutilance de l'or qui a aidé l'artiste à montrer l'excellence de ses dons. Si, au lieu d'or ou d'argent, il avait utilisé une masse de glaise pour exécuter une statue splendide et bien campée, il aurait manifesté son talent de façon bien plus probante, car avec un matériau difficile et ingrat, son talent lui aurait permis de réaliser une œuvre d'une beauté supérieure. Certes, cette statue ne donnerait à ceux qui la voient aucun renseignement sur la taille ou l'apparence extérieure de son auteur, mais par sa facture, elle prouverait seulement l'habileté et le talent de celui-ci. De même Dieu, voulant manifester aux mondes la sagesse de son activité créatrice, n'a pas accompli son économie dans une nature grande et admirable, pour qu'on ne croie pas que c'est à cause de sa grandeur que se manifeste en elle une économie glorieuse. Mais au lieu d'une nature glorieuse, il a pris une nature petite et faite de poussière. Il l'a constituée à l'image du monde avec quantité de beaux aspects, il en a fait une image splendide pour montrer de cette façon la puissance de son activité créatrice.

1. Parce que composé et matériel, le corps a besoin des choses de ce monde et se trouve aussi menacé par d'autres êtres qui lui sont nuisibles. C'est Dieu qui le veut ainsi pour que l'homme s'ouvre à l'espérance des choses d'en haut. Cf. Introd., p. 37-38.

Parce que le corps n'était pas capable de percevoir cette économie qui avait pour objet (cette nature faite de poussière), il l'a dotée de la nature sensitive de l'âme, pour que par elle l'homme perçoive l'économie qui a lieu en lui. Et parce que Dieu n'a pas limité la connaissance de son économie à ce monde seulement, et pour que ses habitants **64** ne croient pas que le visible est la limite de toute chose, il a mis en eux une âme immortelle. Par là il leur apprend que, même s'ils ne le veulent pas, leur âme, lorsqu'ils quittent cette vie, reste forcément au-dessus de la mort et que, hors de cette existence visible, il y a une autre vie. Étant donné l'immortalité de l'âme, ils sont contraints d'admettre l'existence d'autre chose hors de ce monde-ci.

Telle fut la connaissance qu'eurent les sages de tous les pays : avant la révélation du Christ, ils croyaient qu'une fois sortis du corps, ils allaient en divers lieux. Bien qu'ils n'eussent pas saisi ce qu'il en était en réalité, puisque la vérité était cachée en Dieu, néanmoins la cause pour laquelle une âme avait été déposée en eux les força à reconnaître l'existence d'une vie extra-corporelle. Parce que les autres êtres visibles n'ont reçu que cette vie-ci, ils ne sont rien d'autre que des corps destinés seulement à satisfaire les besoins de cette vie.

Dieu a voulu faire entrer la multitude des générations humaines dans un monde composé. Parce qu'ils ne pouvaient le connaître par la seule vue des yeux, il a d'abord fait cette création et l'a parée de toutes les beautés avant même que les hommes existent, pour qu'en voyant sa belle harmonie et son agencement ils reconnaissent la grandeur de sa puissance et l'efficacité de son pouvoir et comprennent peu à peu sa sagesse, non pas celle qu'il possède par nature, mais celle que les êtres créés peuvent montrer : «Les cieux racontent la gloire de Dieu.» Ce n'est pas la gloire de son essence, mais celle de ses œuvres. Et pour **65** montrer que ce n'est pas la gloire de sa grandeur que racontent ses œuvres, mais celle qui apparaît par ses œuvres, il ajoute aussitôt après : « Et l'œuvre de ses mains, le firmament la montre[a]. » Ses œuvres montrent son activité créatrice et non pas sa divinité, l'habileté de sa sagesse, celle qui est dans ses œuvres et non celle qu'il possède par nature.

Un peintre habile, qui veut faire connaître son talent de peintre, passe soigneusement le mur à la chaux et y peint quantité de figures et toutes sortes de personnages multicolores. Quiconque vient examiner ce mur voit la qualité artistique de ces peintures. Mais cela ne le renseigne pas sur la taille du peintre, ni ne lui apprend s'il a le teint pâle ou vermeil, ni ne lui permet d'apprécier toute la mesure de son talent. Elles l'aident seulement à admirer, autant qu'il en est capable, l'art de leur auteur, à prodiguer ses éloges à la richesse et à la mise en valeur des formes et s'émerveiller de son génie. Il en va de même avec l'Être de Dieu. Il a fait cette création admirable, parée de toutes sortes de beautés. A tous ceux qui y entrent et la considèrent, elle n'apprend pas la nature de sa grandeur, ni ne leur dit comment il est ou ce qu'il est, mais elle montre sa merveilleuse habileté, son activité créatrice, pour que les créatures confessent de mille manières le créateur de ces choses dont elles ont besoin. Car, par l'intelligence des choses visibles, Dieu montre qu'il est. « Ce que Dieu a d'invisible depuis la fondation du monde, dit Paul, se laisse voir à l'intelligence à travers ses créatures[b]. » Quand on considère intelligem- **66** ment la puissance de son activité en tant que Créateur et sa Providence souveraine qui se manifeste visiblement par la considération de ses œuvres, on apprend à connaître son éternelle divinité.

A toutes les époques, son économie nous apprend que c'est par cette image méprisable que nous avons revêtue qu'il veut montrer l'efficacité de sa puissance. Chaque fois qu'il a voulu révéler son enseignement glorieux sur lui-

a. Ps. 19, 2. || b. Rom. 1, 20.

même, il n'a pas choisi les grandes choses pour manifester son dessein, mais à toutes les époques il s'est servi de ce qui est petit. D'abord il a révélé son économie par le peuple d'Israël qui était le plus petit des peuples et cela pour l'enseignement de toutes les nations, ainsi que l'atteste le prophète Moïse, lorsque, pour faire cesser leur orgueil et les empêcher de croire que c'était leur grand nombre qui leur avait valu le choix divin, il leur dit : « Ce n'est pas parce que vous êtes le plus nombreux de tous les peuples, que Dieu vous a choisis; vous êtes le plus petit de tous[c]. »

Et quand Dieu a voulu révéler une autre économie par l'intermédiaire de son Fils unique qui a proclamé l'existence d'un autre monde, il s'est servi de la pauvreté et de la petitesse, afin que, par les choses méprisables dans le monde, soit manifestée la gloire de sa sagesse. C'est pourquoi il a gratifié cette nature méprisable du corps, de la résurrection d'entre les morts, et il l'a transformée en une glorieuse spiritualité pour que les mondes soient en admiration devant sa puissance prodigieuse et que même les Puissances d'en haut s'émerveillent du don de sa bonté et reconnaissent qu'ils doivent leur excellence non à leur nature glorieuse, mais au seul don de Dieu[1].

THOMASIOS : Ces multitudes célestes apprennent-elles 67 l'existence de Dieu par l'économie qui s'accomplit dans notre monde ou par quelque autre chose?

JEAN LE SOLITAIRE : Le langage, de soi, est incapable de décrire l'enseignement que reçoivent les Puissances d'en haut et l'intelligence qu'elles peuvent avoir de la grandeur de Dieu. Car si l'on pouvait dire ce qu'est ou comment est leur nature, cela aurait été exposé dans le récit de la Création par Moïse, le chef du peuple. En fait il n'y a pas de

c. Deut. 7, 7.

1. Le don de Dieu aux hommes est si extraordinaire qu'il suscite l'action de grâces même chez les êtres spirituels qui se trouvent près de lui.

description de leur création, parce que la nature spirituelle est invisible et ineffable. Sur la question de savoir si et comment leur nature ineffable peut connaître Dieu, je dirai ceci : ils n'ont nullement besoin des choses corporelles de cette création pour apprendre à connaître Dieu; ils connaissent Dieu par ce qui se trouve chez eux. De même, apprenons-nous à connaître Dieu par ce qu'il a fait chez nous. De même que nous, nous comprenons Dieu non pas grâce à l'économie qui a lieu dans leur monde, mais grâce à celle qui se déroule dans notre monde à nous, de même eux apprennent-ils à connaître Dieu, non par l'économie des natures de notre monde, mais par celle des mystères spirituels qui ont lieu chez eux. Car il ne serait pas normal que, leur nature étant supérieure à la nôtre, leur connaissance fût rabaissée au niveau de la nôtre. De même le professeur qui veut transmettre son savoir aux enfants, adapte son enseignement aux capacités de chacun. Avec ceux qui apprennent à lire il n'emploiera pas la même méthode qu'avec les élèves qui lisent très bien et sont capables de penser rapidement. En somme, chacun prend **68** de cet enseignement ce qui est adapté à ses capacités. Si l'homme qui est au-dessus de l'agir corporel est, grâce aux mystères divins, dans l'émerveillement devant Dieu, pourquoi les êtres spirituels auraient-ils besoin de ce qui se passe dans notre monde pour connaître Dieu?

THOMASIOS : Que veut dire l'Apôtre par ces paroles : «Pour que, par l'Église, la sagesse de Dieu infinie en ressources soit connue des Principautés et des Puissances dans le ciel[d]»?

JEAN LE SOLITAIRE : Il n'a pas parlé de la sagesse qui est visible dans ces éléments, mais du mystère de l'économie de notre Sauveur qui a eu lieu spirituellement en vue du monde spirituel à venir. Car ni les multitudes d'en haut, ni les peuples d'ici-bas n'avaient connaissance de la transfor-

d. Éphés. 3, 10.

mation que Dieu voulait opérer dans la nature humaine, ni à quelle dignité elle serait élevée grâce à son Fils bien-aimé avec les mystères infinis cachés dans l'économie du Christ. C'est pourquoi, ce que Dieu savait fut révélé aux anges qui sont plus que nous les familiers de Dieu, lorsque fut venu le temps de la révélation à notre monde et qu'il commença à révéler ce mystère aux hommes.

Il en va comme pour une ville qui a provoqué la colère du roi, son souverain : au lieu du châtiment suprême qu'elle mérite, il se propose de lui accorder son pardon et même d'honorer ses habitants; comme ce mystère n'est connu de personne, les sujets de son royaume s'attendent plutôt à une attitude opposée. Quand il a commencé à faire connaître à la ville son désir de pardonner, ce n'est pas à cause de la ville que les sujets du royaume ont appris **69** l'honneur qu'il va accorder à ceux qui l'ont irrité. Paul tient le même langage lorsqu'il contemple le glorieux mystère du Christ : « Il a été tenu caché depuis les siècles en Dieu[e]. » Lorsque fut venu, dit-il, le temps de la révélation de notre Sauveur dans le monde, il se révéla aussi aux multitudes d'en haut selon la grandeur de leur sagesse. L'économie que Dieu accomplit auprès des Puissances d'en haut est supérieure à la nôtre, parce que leur nature est plus excellente que la nôtre.

Tel est l'enseignement que Dieu a mis dans les choses visibles jusqu'au temps où il rendra notre nature plus parfaite qu'elle n'est maintenant.

A Lui la gloire pour les siècles!

Fin du cinquième Dialogue de Mar Jean le Solitaire dont le sujet était : Pourquoi l'homme a t-il été placé d'abord dans un corps en ce monde alors qu'il doit devenir excellent?

e. Id. 3, 9.

VI

Sixième Dialogue de Mar Jean le Solitaire sur les révélations et visions de l'économie divine en ce monde et la révélation qui vient de l'économie du monde à venir. Et sur d'autres degrés et sujets.

Le jour déclinait lorsque Jean prit la parole : A mon avis, le genre humain n'est pas capable d'admirer comme elle le mérite la Providence divine qui, par l'entremise de ses messagers, lui donne ses enseignements sur son Royaume d'en haut. Si Dieu avait accompli tout cela invisiblement, nous n'aurions pas pu nous rendre compte que les mystères de sa sagesse qui ont eu lieu pour nous, 70 venaient de lui. D'autant plus que nous ignorerions l'existence d'un autre monde, s'il n'avait pas du tout envoyé des habitants de son royaume d'en haut vers le monde d'en bas. C'est pourquoi il s'est révélé à nous et nous a parlé en se servant des choses que nous pouvons voir et entendre, et en envoyant les habitants de son royaume. Ceux-ci sont descendus de leur monde vers le nôtre, ils se sont servis de nos sons pour proférer leur langage et se sont montrés sous diverses formes selon l'objet de leur mission. Car en ce monde-ci, c'est par une médiation qu'a été accomplie l'économie divine.

THOMASIOS : Comment se fait-il que les anges, étant supérieurs au corps, se montrent sous une forme corporelle ?

JEAN LE SOLITAIRE : On ne peut savoir comment ils se manifestent. Si je le savais, je pourrais faire comme eux. Sache que la nature spirituelle a pouvoir sur les formes corporelles. Il est facile à un peintre de peindre toutes sortes de figures sur un mur, sans que sa nature prenne la forme de ce qu'il peint. De même il est encore plus facile à une nature spirituelle de revêtir toutes sortes de formes, tout en restant telle qu'elle est sans changement.

THOMASIOS : Le peintre prend des couleurs et avec elles il exécute le portrait qu'il veut. Mais que diras-tu de l'ange? Est-ce à partir des éléments, air ou lumière, qu'il construit des formes et en fait une effigie qui lui sert à manifester son opération, ou bien est-il changé lui-même en la forme de ce qu'il montre?

JEAN LE SOLITAIRE : De même que l'esprit peut à son gré 71 se représenter en pensée la forme d'un lion ou d'un taureau, qu'il n'a besoin d'aucun élément pour former devant son regard une montagne ou une plaine, un ours ou un aigle, et que sa nature subtile lui permet de montrer ce qu'il veut à l'entendement, sans se lier avec quoi que ce soit, de même la nature spirituelle a pouvoir sur toute forme corporelle, en sorte que, dès qu'elle le veut, elle peut apparaître visiblement. Toutefois un démon ou un ange ne peut se transformer en lion, en taureau ou en homme, ni changer les natures. De même que l'esprit reste tel qu'il est et qu'il peut se représenter ce qu'il veut sans être transformé lui-même en cette représentation, de même les visions apparaissent aux yeux sans faire subir de changement à la nature de ce qu'elles montrent. Et bien que l'esprit montre ce qu'il veut au regard, ce n'est pas avec ce qu'il voit dans l'entendement que cela devient visible aux yeux du corps. Mais le corps, parce qu'il est composé, ne peut montrer au regard tout ce qu'il veut, sans l'existence d'un lien ou de la proximité. Vois aussi l'autre différence : ce que l'esprit voit ce n'est pas le corps comme masse, mais la forme de ce qu'il veut voir; ce que le corps voit, c'est le corps comme masse réelle, à moins que ce ne soit quelque chose d'autre qui lui est montré en vision par les puissances spirituelles.

THOMASIOS : Pourquoi est-ce seulement chez l'homme qu'existe une telle différence qui fait que son esprit voit une apparence et son corps quelque chose de réel?

JEAN LE SOLITAIRE : Parce que le monde de l'âme ne consiste pas en éléments et en formes colorées, l'âme ne **72** peut voir un corps comme masse matérielle dans un domaine qui n'est pas celui de l'âme. Car l'intellect ne se meut pas dans le monde de l'âme. Mais parce que ces éléments et ces formes colorées appartiennent réellement au monde corporel, le corps les voit réellement. Le domaine que connaît l'âme, c'est le mystère de la sagesse des natures en sorte que, quand l'âme perçoit le mystère des natures, elle est dans son domaine en cette vie, et ce n'est pas une image qu'elle voit, mais la réalité.

THOMASIOS : Comment le mystère de la sagesse des natures est-il le domaine de l'âme, alors que celle-ci est enfermée dans le corps?

JEAN LE SOLITAIRE : Quand un homme est étendu sur un lit moelleux et que son esprit projette de mauvaises actions, le lieu du repos de son esprit est-ce l'endroit où cet homme est étendu, ou bien est-ce la volonté de faire ce qu'il projette?

THOMASIOS : Ce que cet homme veut faire, c'est cela le lieu du repos de son esprit.

JEAN LE SOLITAIRE : De même ce que connaît l'âme, c'est cela son domaine. De même que le domaine du corps, c'est la masse matérielle, de même le domaine de l'âme c'est le connaître. L'âme n'est pas autre chose que le connaître; bien plus, l'âme c'est le connaître et le connaître c'est l'âme. Si nous ne pouvons saisir pleinement comment les anges se rendent visibles, néanmoins, j'ai dit cela pour la consolation de l'âme.

THOMASIOS : Qu'est-ce qui cause l'apparence humaine de l'ange, puisque nous échappe comment ils n'ont pas de forme.

JEAN LE SOLITAIRE : Parce que la masse corporelle placée **73** au milieu, entre l'âme et Dieu, ne peut naturellement voir sans une vision claire ni entendre en l'absence de son, la forme visible placée au milieu entre la spiritualité et la corporéité sert à la vision. La masse corporelle ne voit quelque chose d'invisible que si cela devient visible comme elle, et ne peut entendre quelque chose sans émission de son.

Parce que le corps dans le monde nouveau est supérieur à ces choses humaines et qu'il est tout entier substance spirituelle, ce n'est pas par l'intermédiaire des autres choses que Dieu se révèle aux saints mais c'est d'une manière invisible qu'il leur fait connaître ses mystères.

De même que dans ce monde-ci notre vue d'ici-bas voit clairement le visible, de même dans le monde futur, on pourra voir l'invisible par une pensée invisible, sans avoir besoin de forme ni d'intermédiaire. Tout ce qui est visible aux yeux du corps est visible comme le corps. Mais ce que notre esprit peut connaître de manière spirituelle, il le connaît par révélation de la même manière. Cette économie s'accomplit dans ce monde à toutes les époques pour que Dieu soit connu des hommes. Elle consiste en visions sous une forme corporelle : ainsi, ce que les hommes voient de leurs yeux, lui permet de leur faire comprendre son action invisible. Et parce que cette économie se déroulait dans le monde corporel, elle consistait en promesses corporelles faites à un monde corporel. Les visions aussi étaient corporelles[1].

74 Lorsque Dieu se manifesta dans le désert aux Israélites pour leur inspirer de la crainte, il leur parla par le feu, la nuée[a], le son de la trompette[b], et les Anciens d'Israël le virent sous les traits d'un homme assis sur un trône[c].

a. Ex. 13, 21. || b. Id. 19, 16. || c. Cf. Is. 6, 1 ; III Rois 22, 19.

1. L'économie en vigueur avant la venue du Christ était basée sur les promesses corporelles ou temporelles. Elle correspondait à l'étape somatique. L'économie salvifique du Christ appartient de soi à l'étape spirituelle ou pneumatique.

Toutes les visions qu'eut Moïse appartenaient à cette économie, pareillement celles d'Isaïe, d'Ézéchiel et des autres prophètes. Mais lorsque, grâce au Fils unique de Dieu, fut inaugurée l'autre économie spirituelle, alors commencèrent à se produire les révélations spirituelles et les visions non composées. La vision ineffable qu'eut Paul n'appartenait pas à l'économie qui enseigne le Dieu unique, mais faisait partie de cette économie invisible qui a lieu dans le monde invisible et dans laquelle Dieu parle sans parole et montre ses visions sans forme ni couleur.

Au contraire, les visions composées qu'eurent les apôtres, faisaient partie de cette économie qui enseigne aux hommes l'existence du Dieu unique. Lorsque Dieu voulut faire connaître à l'apôtre Pierre le mystère de l'accueil des nations, parce que celles-ci, à ce moment-là, étaient déjà proches et amies de Dieu, Dieu accomplit cela par l'intermédiaire d'une vision : par la nappe[d] décrite avec tous les animaux, il voulait signifier le monde; par les mots «descendue du ciel[d]», il voulait faire connaître que l'appel de toutes les nations venait du ciel; par la voix[e] qui lui parla du ciel, il lui commanda de ne pas refuser de faire des nations des disciples, et par ces mots «tue et mange[e]», il **75** l'avertit que, pour Dieu, aucun homme n'est rejeté. En résumé, toutes les révélations qui ont eu lieu dans cette économie, pour détourner les hommes de l'erreur et les amener à adorer Dieu, ont eu lieu dans le monde de cet homme visible et sous la forme de visions composées.

Mais dans le monde nouveau, les mystères divins sont connus des saints, sans qu'il y ait quoi que ce soit entre eux et Dieu, ainsi que je l'ai dit; car là il n'y a aucune image par laquelle il pourrait se révéler, ni aucune forme ni couleur qui lui permettrait de se rendre visible. C'est sa connaissance qui leur est révélée en vérité, sans intermédiaire et en proportion de leurs capacités.

d. Act. 10, 11. || e. Id. 10, 13.

On connaît ceci, mes chers, par l'expérience; l'âme qui ne l'a pas perçu ne peut pas le connaître, même si on le lui explique cent fois. Celui qui n'a jamais vu les étoiles est incapable de se les représenter mentalement, même si on lui en décrit toute la beauté, car il ne les a jamais vues. De même personne n'est capable de comprendre ces mystères, sans s'y être exercé ou en avoir reçu de Dieu la révélation.

Quand l'âme a mérité de s'élever au-dessus du corporel et contemple l'invisible, elle est devenue de ce fait digne de l'intimité divine, et cela sans aucune recherche laborieuse, mais grâce à sa purification[1] de toute perversité. Un tel **76** homme voit les révélations divines non avec les yeux, mais avec les sens de l'âme qui, forts de la force divine, connaissent les mystères du monde à venir. L'Apôtre, par sa parole, nous enseigne que la révélation de ce monde-là est mystérieusement manifestée à l'homme intérieur; il a perçu que les mystérieuses révélations de cette économie-là sont supérieures à celles de l'économie qui a lieu ici-bas, ainsi qu'il le dit aux Éphésiens en une prière instante : « Je prie Dieu pour vous, qu'il vous donne un esprit de sagesse et de révélation qui vous le fasse connaître[f]. » La révélation dont il parle ici est différente de celle que virent les prophètes avec les yeux de l'homme extérieur. En effet, il poursuit : « Que soient illuminés les yeux de vos cœurs[g] », pour qu'en se faisant connaître il se révèle à votre homme intérieur.

Satan lui-même peut singer l'économie qui s'est déroulée visiblement en ce monde : c'est ainsi que les magiciens d'Égypte lui ont servi à montrer seulement une apparence dépourvue de réalité[h]. Comme le dit l'Apôtre : « Il peut se déguiser en ange de lumière[i]. » Toutes les apparences de

f. Éphés. 1, 17. || g. Id. 1, 18. || h. Ex. 7, 22. || i. II Cor. 11, 14.

1. En syriaque : *chafyûto*. Cette purification est ici considérée comme ce qui fait accéder l'âme à l'intimité divine et donc aux mystères du monde à venir. Sur la *chafyûto,* cf. Introd. p. 42-43.

Satan sont limitées à l'apparence corporelle. Parce que Satan est plus subtil que le corps, il peut se montrer sous une forme visible, mais il ne peut pas en faire autant avec l'esprit, parce qu'il ne le voit pas [1].

THOMASIOS : Comment les Égyptiens connurent-ils la puissance divine, puisque les magiciens purent montrer les mêmes formes que Moïse?

JEAN LE SOLITAIRE : Cela vient de ce qu'ils ne changeaient pas les natures. Lorsque Moïse en Égypte eut **77** changé les eaux en sang, celles qui restaient inchangées pouvaient faire croire aux Égyptiens que les magiciens avaient changé leur nature. Au lieu d'ajouter aux calamités, ces eaux devaient agir comme une aide rassurante pour la transformation du sang en la nature de l'eau. Mais comme les magiciens ne purent changer le sang en eau, les Égyptiens devaient reconnaître que ces mêmes magiciens n'avaient pu changer l'eau en sang, et que seule la puissance créatrice des natures pouvait opérer ce changement et ensuite leur restituer leur nature première. Il existe bien d'autres faits semblables à ceux-là que nous ne pouvons rapporter [2].

Les visions de cette économie invisible qui s'accomplit dans le monde invisible, Satan ne peut, de par sa nature, les singer, et ses visions à lui ne peuvent avoir lieu invisiblement dans l'âme. Car la nature de l'âme étant plus subtile que celle de Satan, celui-ci ne peut montrer des visions à l'âme, puisqu'il ne la voit pas. Certes l'âme, de par sa nature, pourrait avoir des visions. Mais ce n'est pas Satan qui peut les lui montrer. Comment pourrait-il montrer quelque chose à ce qu'il ne voit pas? Dieu, étant plus grand

1. Selon le principe posé par Jean qu'un être d'un ordre ou d'une nature inférieure ne peut connaître ni voir un être d'un ordre ou d'une nature supérieure, Satan ne peut voir l'âme de l'homme : cf. Introd. p. 36. – Connaissance suppose connaturalité.

2. L'action des magiciens, comme celle de Satan, ne produit que des apparences illusoires.

et plus subtil que tout, peut tout voir et révéler invisiblement la vie nouvelle à l'âme qui le mérite. Qu'une nature spirituelle ne puisse en voir une autre supérieure à elle – puisque, au contraire, c'est celui dont la nature est glorieuse qui voit celui dont la nature est inférieure à la sienne –, nous en déduisons que ces natures ne possèdent pas le même degré de connaissance.

THOMASIOS : Beaucoup de gens disent que les anges, les démons et les âmes ont une seule et même nature. S'il en est **78** ainsi, comment Satan ne peut-il les voir ?

JEAN LE SOLITAIRE : Sache qu'un entendement psychique n'est connu que par des pensées psychiques. Un être spirituel ne voit pas de la même manière que les corps qui se voient les uns les autres. Le corps est autre chose que ce qu'on voit, parce qu'il est composé de plusieurs parties. Mais un être spirituel n'est pas autre chose que ce qu'on voit. Ce n'est pas comme s'il avait plusieurs membres. Quand il voit, alors il n'est que vision. Ne concevons pas la vision à part de la connaissance, mais comme étant la connaissance. Qu'il en soit bien ainsi quant à cette vision intérieure comme connaissance, c'est ce que dit l'Apôtre : « Que les yeux de vos cœurs soient illuminés afin que vous ayez la connaissance[j] », et comme l'a dit Moïse dans son Cantique : « Voyez maintenant que moi, moi je le suis[k] », c'est-à-dire : « Sachez que je le suis[l]. » On ne peut voir Dieu avec les yeux. Si la vue de notre homme intérieur est sa connaissance, à combien plus forte raison la vue de la nature spirituelle est sa connaissance. Si l'on admet que la vue des natures spirituelles, c'est leur connaissance, alors il est vrai que, si elles ne sont pas égales en connaissance, elles ne se voient pas les unes les autres. C'est pourquoi nous ne voyons pas les anges, parce que nous ne savons pas ce qu'ils sont, et les démons ne connaissent pas les anges, parce qu'ils ne connaissent pas leur grandeur. Et même si

j. Éphés. 1, 18. || k. Deut. 32, 39. || l. Ps. 46, 11.

tous avaient une nature identique, comme certains le 79 prétendent, ces différents ordres ne pourraient pas se voir les uns les autres. Bien que la nature chez tous les hommes soit identique psychiquement et corporellement, celui qui a une connaissance moindre ne peut pas voir celui qui en a une plus grande; il ne sait pas qui il est ni où il est. Celui qui possède une connaissance supérieure voit tous ceux qui sont au-dessous de lui. Il connaît aussi les mouvements de leurs pensées. Que de fois, par la simple vue du visage, il sait quelle pensée se trouve au-dedans. Bien que la nature des saints soit inférieure en ce monde à celle des anges dans le monde spirituel, cependant, elle sera rendue si excellente qu'ils seront comme les anges de Dieu et, parce que réunis à eux, ils les verront. S'ils n'étaient pas spirituels, ils ne pourraient pas voir les anges, et à quoi leur servirait-il d'être réunis à eux, s'ils ne les voyaient pas? C'est pourquoi la transformation qu'ils reçoivent élève spirituellement leur entendement.

THOMASIOS : Tu as admirablement parlé et tu as dit la vérité à propos de la connaissance qui est supérieure au corps. Je serai parfaitement satisfait, si tu me fournis l'explication que je vais te demander. Si la nature de l'âme est plus subtile que celle du démon et si celui-ci ne la voit pas, comment se fait-il que chez les possédés la compréhension soit brouillée, la parole bloquée et que l'intelligence ait disparu?

JEAN LE SOLITAIRE : Le démon ne touche pas à la nature de l'âme ni même ne s'approche directement de celle à qui 80 il veut nuire. Mais parce que la vigueur naturelle de celle-ci est liée au corps, surtout au cœur et au cerveau, c'est à l'un de ces organes qu'il s'en prend, soit lui-même directement soit par l'intermédiaire d'un autre démon ou d'un magicien instrument de ce démon, en vue d'entraver la parole et de brouiller l'entendement[1]. Car ce sont eux les sources des

1. Sur les limites de l'action de Satan, cf. Introd., p. 36.

pensées et de la parole. En ces organes réside la vigueur de l'âme, ainsi que je l'ai dit, et ce sont eux qui assurent la garde de l'entendement. Si ces organes viennent à être endommagés, l'entendement est brouillé et la parole bloquée.

De même que l'on voit par les yeux et que l'on entend par les oreilles, de même on saisit les pensées avec le cœur, le cerveau et les reins. C'est comme lorsqu'on veut porter atteinte à la lumière des yeux : ce n'est pas elle directement que l'on touchera, parce qu'elle est plus subtile que le toucher, mais on s'en prendra à la pupille et alors la lumière des yeux en sera endommagée; de même si on porte atteinte au cœur et au cerveau, le processsus de la compréhension en sera dérangé.

De même aussi, quand on veut faire sortir le feu d'une pierre, ce n'est pas le feu lui-même que la main cherche à atteindre, mais on s'en prend à la pierre et en la frappant on en fait sortir le feu. Il en va de même avec le démon : celui-ci ne peut ni voir ni toucher l'âme, mais (seulement) les organes dans lesquels est cachée la vigueur de l'âme; une fois ces organes endommagés, il en résulte la confusion dans les pensées que ces organes mettent en branle. Si le démon pouvait nuire à l'âme, il pourrait le faire même après que celle-ci est sortie du corps. Mais comme il ne peut la voir, il n'a aucun pouvoir sur elle, parce que son
81 pouvoir s'arrête au corps.

Je t'ai dit cela, mon cher, pour te montrer, autant que ma faiblesse me le permet, ce que tu as à demander à Dieu, afin que rien de visible en ce monde n'arrive à te séduire. Bien plus, demande assidûment d'être rendu digne de la connaissance véritable que perçoit l'intellect. Car Dieu a montré les visions décrites par les prophètes en tenant compte de la faiblesse du peuple et selon l'économie qu'il accomplissait chez eux. Mais les véritables révélations, c'est-à-dire celles de la vie nouvelle, auront lieu seulement dans l'âme qui est au-dessus du tumulte des pensées. Sans avoir d'ouïe, l'âme entend ces révélations, parce que Dieu parle à l'homme sans bruit de voix, mais invisiblement s'instaure un commerce intime entre Dieu et l'homme intérieur; encore une fois, ces révélations sont invisibles parce qu'elles n'ont aucune couleur.

C'est pourquoi, demandons assidûment ces choses qui nous sont si salutaires. Supplions Dieu de nous donner ce qu'il a en réserve pour nous.

Nous sommes appelés à l'espérance! Que notre pensée ne s'arrête pas à ce monde-ci! Nous devons quitter en esprit ce lieu-ci!

Dieu ne nous a pas mis en ce monde pour que nous en ayons souci, mais pour que la petitesse du monde nous enseigne la grandeur divine et que nous nous laissions instruire par la sagesse que Dieu manifeste en sa création.

A lui la sagesse, la puissance, la grâce, la gloire et l'honneur pour les siècles des siècles! Amen.

Fin du sixième Dialogue.

VII

82 *Lettre de Mar Jean à Thomasios sur ces questions*[1].

J'ai bien reçu ton excellente lettre, frère[2], et je vais répondre, dans la mesure où la grâce du Christ m'en rendra digne, à la demande que tu m'y fais de t'entretenir de son saint mystère. Je sais que tu as grand soif d'entendre parler du mystère vivifiant, et moi, de mon côté, je souhaite que tu sois non seulement désireux d'écouter, mais aussi sans cesse avide de connaître.

Celui que la nature a doté d'une belle voix n'a que faire des instruments de musique qui ne procurent qu'un agrément extérieur. Toi qui intérieurement exultes sans cesse dans le Christ, toi dont la vie est insérée dans la sienne, dont la connaissance est imbriquée dans la sienne, ne t'imagine pas que je puis parler du Christ en dehors de la foi. Car précisément ma foi consiste à espérer en lui. Pour parler de lui je n'use pas de termes savants, ni ne me le représente concrètement. Et je ne suis pas privé de son espérance du fait que j'ignore les spéculations le concernant. Simplement je crois et m'attache au Christ, Dieu incompréhensible, en espérant fermement la révélation de son mystère, non en ce monde-ci, mais dans le monde à venir. Autant la gloire de sa révélation dans le monde à 83 venir sera plus excellente que notre communion visible avec lui en ce monde-ci, autant la connaissance que nous

1. Sur le thème développé dans cette Lettre, cf. Introd. p. 34.
2. La lettre de Thomasios à laquelle répond Jean ici, est perdue.

sommes destinés à avoir auprès de lui sera plus grande et plus glorieuse que celle que nous avons aujourd'hui. Car nous espérons fermement être renouvelés par lui, posséder une autre connaissance à la place de l'actuelle, avoir nos pensées complètement transformées et nos mouvements déficients remplacés par des mouvements parfaits[1]. Nous ignorons comment sera la connaissance que nous sommes destinés à recevoir et comment nous connaîtrons Dieu. Cependant se pose à nous une question controversée à propos de la connaissance qui est la nôtre actuellement : faut-il l'appeler aussi connaissance, alors que c'est avec nos concepts sans vie que nous cherchons à comprendre le mystère du Christ? Si nous nous tournons vers lui avec amour et foi, il est superflu de chercher des mots pour lui parler; ceux-ci, en effet, ne nous viennent à l'esprit que d'une manière divine, pure et sainte. Si le monde est élevé jusqu'à Dieu, alors nous devons réfléchir de manière divine sur celui qui dépasse toute recherche. Le Christ est venu dans le monde, il est apparu dans la chair, il a exigé des Juifs qu'ils le regardent non d'après l'extérieur, mais en dehors de toute catégorie humaine. Car, dit-il : «Avant qu'Abraham fut, je suis[a]», «Qui me voit, voit le Père[b]», «Je suis le pain descendu du ciel[c]», et «Le Père et moi **84** sommes un [d].» Si, maintenant qu'il a été exalté auprès du Père, nous le considérons encore avec les sens corporels, en nous le représentant à nous-mêmes, selon nos propres schèmes, si donc nous pensons ainsi à son sujet, ce serait en vain que le Christ aurait blâmé les Juifs de prétendre qu'il blasphémait en se disant le Fils de Dieu descendu du ciel et existant avant Abraham. Car ils lui disaient : «Tu blasphèmes, parce qu'étant homme, tu te fais Dieu[e].»

S'ils avaient accepté de croire en ses paroles, c'est-à-dire

a. Jn 8, 58. || b. Id. 14, 9. || c. Id. 6, 41. || d. Id. 10, 30. || e. Id. 10, 33.

1. Sur l'importance de ce concept de «mouvement», cf. Introd., p. 38, n. 3.

de croire qu'il existait avant Abraham, qu'il était descendu du ciel, qu'il était sorti de Dieu pour venir dans le monde, que Dieu l'avait envoyé, qu'il venait de lui et retournait auprès de lui, auraient-ils été prisonniers de l'erreur ou bien auraient-ils été grandement loués par le Christ et par nous? C'est donc par la foi seulement que nous pouvons avoir accès au mystère de l'économie du Christ. Si on pouvait l'atteindre ou le connaître par des pensées humaines et que la foi ne fût pas requise comme intermédiaire, alors les philosophes se seraient approchés de lui plus près que nous. Mais ceux-ci cherchent la connaissance et non la foi, alors qu'on accueille l'économie du Christ par la foi et non par la connaissance. C'est pourquoi les philosophes voyant que toutes les actions du Christ ne relevaient ni de la nature, ni de l'ordinaire, cessèrent de s'intéresser à son enseignement. Quant à nous chrétiens, après l'avoir reçu dans la foi, nous nous sommes mis à scruter son économie en nous livrant à des discussions théoriques[1]. Et parce que Dieu ne peut être connu par des paroles et des pensées en 85 dehors de la foi, nous avons provoqué beaucoup de dissensions et nous nous sommes trouvés divisés les uns contre les autres. Si nous connaissions le Christ par la foi, nous attesterions son mystère en faisant taire tout discours. Si au contraire nous croyons pouvoir atteindre le Christ par la connaissance, alors nous devons nous demander : comment eurent lieu sa conception et sa naissance sans relation sexuelle, phénomène inconnu de la nature? Comment a-t-il guéri, purifié les lépreux, rendu la vue aux aveugles et ressuscité les morts?

Nous voulons parler de l'opération de sa divinité. Et ceci est un discours de foi et non de science. Nous avons reçu comme article de foi que ces choses ont eu lieu. Comment? Nous ne pouvons le percevoir. Car seule la foi

1. Il y a là sans doute une allusion aux controverses christologiques qui commençaient à surgir à l'époque où Jean écrivait.

nous permet d'être auprès du Christ dans la pureté[1] et la joie.

Qui ne serait pas stupéfait et ne souffrirait pas de voir qu'au sujet de celui qui est venu pour libérer, sauver, élever, enrichir, réconforter tous les hommes et qui sera pour eux le vrai lieu du repos pour l'éternité, nous sommes dans la confusion, la division et l'agitation? Cette confusion et agitation à son sujet ne montrent-elles pas à l'évidence que nous ne l'avons ni trouvé, ni connu? Si réfléchir sur lui engendre peine et fatigue, comment croyons-nous possible de rester dans la ferme espérance de son repos? Si la découverte et la connaissance de ses mystères nous apportent consolation, joie et exultation, comprenons bien que, tant que nous serons dans la confusion et les errements à son sujet, nous ne le percevrons pas, mais nous sommes complètement morts au **86** point de ne pouvoir le percevoir et vivre en lui. Ah! puissions-nous vivre au contraire intimement en lui! Mais au lieu qu'il vive en nous, nous sommes morts nous-mêmes et vivons dans la mentalité de la chair et du sang.

Frères, implantons son amour en nous, sans appliquer nos pensées à son mystère en dehors de l'amour et de la foi. Dans la mesure où nous nous appliquons à le chercher, nos mouvements nous conduisent à l'amour et à la foi en lui. Sans devenir parfait dans l'amour du Christ, on ne peut parvenir à sa connaissance. «Celui qui a mes commandements, dit-il, et les observe, celui-là m'aime, et qui m'aime, je l'aime et je me montrerai à lui[f].»

Comment pouvons-nous penser que son mystère s'est révélé à nous, si nous n'avons pas encore observé parfaitement ses commandements et si nous ne nous sommes pas encore rendus parfaits dans son amour parfait? Car il a établi (cette règle) que c'est seulement lorsque l'homme est

f. Jn 14, 21.

1. En syriaque : *chafyûto*. Sur le sens de ce mot, cf. Introd., p. 42-43.

devenu parfait dans l'amour parfait, qu'il lui révèle sa connaissance. Si donc nous croyons posséder en nous-mêmes la richesse de son mystère, c'est qu'il n'y a pas la foi entre lui et nous. Mais quand par la foi nous étreignons son mystère, alors la connaissance qui s'imagine connaître est vaine. Car ce que l'homme ne connaît pas, il doit le croire. Et s'il le connaît, il n'a pas besoin de le croire. Quand quelqu'un se représente le Christ par la pensée et qu'il le **87** croit être tel qu'il se le représente, comment la foi peut-elle croire ce qu'elle sait? Et quel est l'amour dont l'espérance est ainsi limitée? Si son discernement permettait à notre connaissance de saisir par ses mouvements son puissant mystère, la foi n'aurait pas été donnée au milieu pour que nous nous appuyions sur elle et trouvions en elle repos dans notre course vers la vérité. Car si nous pouvions penser quelque chose de vrai, nos mouvements seraient capables de nous conduire vers le repos.

Mais la sagesse du Christ, connaissant la maladie de notre in-connaissance et la faiblesse de nos pensées, et sachant qu'en cette vie nous ne pouvons saisir pleinement son mystère véritable et vivifiant, a établi pour nous la foi comme un chemin vers lui. De la sorte, quand nous réfléchissons sur lui et qu'il s'avère que notre réflexion n'est pas basée sur la foi mais sur la connaissance, alors le Christ inflige un désaveu total à nos idées sur lui et ne les laisse jamais s'enraciner en nous. Mais nous deviendrons parfaits grâce à l'amour de celui qui est en vérité, saint et sanctifiant, pur et purificateur, réconcilié et réconciliateur, glorieux et glorificateur, libre et libérateur, gardien et veilleur, crucifié et crucifiant le péché, pendu au gibet et pendant l'erreur, mort et mettant à mort le Mauvais, exécuté et exécutant la mort, réduit au silence et avocat des **88** coupables, chemin et guide des voyageurs, accompagné et accompagnant ceux qui s'en vont, paix et pacifiant, revivant et faisant revivre, résurrection et ressuscitant, éveillé et réveillant, point de rassemblement et rassembleur, vie et vivifiant, lieu de repos et donnant le repos, secours et secourant, force et fortifiant, salut et sauveur, lumière et illuminateur, joie et réjouissant, couronne et couronnant, gain et gagnant pour tous, porte et introduisant auprès du Père, hauteur et faisant accéder à sa hauteur, royaume et couronne de son royaume, mystère des promesses et accomplissement des promesses. Il est tout, et tout est soutenu et délimité par lui. A l'instar de l'air qui baigne toute chose, embrasse tout ce qui se trouve en son sein, fait se mouvoir, grandir et vivre les troupes des oiseaux, le corps de l'homme et assure la croissance des arbres et du corps des animaux, le Christ est celui qui d'une manière éminente tient en sa main toutes les créatures. Chacune, selon sa capacité, se réjouit et jubile en lui, est glorifiée et devient parfaite. De même, si c'est le cours du soleil qui règle et délimite toute croissance, en enveloppant tous les corps, arbres, racines, de sa force qu'il insinue secrètement en eux, pour distribuer couleur, forme, parfum et saveur à tous les arbres, prairies, fruits, racines, fleurs, céréales et herbes, à combien plus forte raison c'est la forme du corps du Christ qui délimite en son sein toutes les créatures de lumière et les essences raisonnables et les fait vivre, se mouvoir et se percevoir en lui et s'achever en une véritable forme et image. La concorde et harmonie première que **89** Dieu Créateur avait mise dans ses créatures a été brisée, rompue par la rébellion et l'erreur. Chacun s'était fait à sa guise sa propre loi, coutume, genre et règle de vie. C'est pourquoi le Christ est venu, a de nouveau rassemblé en lui-même toutes les créatures et en a fait un seul et véritable corps. Toutes sont contenues en lui, en sorte que désormais, par sa sagesse divine et sa vérité, il est pour elles point de départ, discernement et mesure. Point de départ : parce que c'est lui qui les met en mouvement pour qu'elles le connaissent. Discernement : à cause des grandes beautés de ses saints mystères. Mesure : parce qu'elles sont contenues en lui.

Si c'est seulement par une combinaison adéquate des lettres que l'on obtient tous les sons, les mots et les noms des hommes, des animaux, des plantes et de tout être visible dans la création, en sorte qu'on ne peut se passer d'eux pour penser, discourir et réfléchir, à combien plus forte raison ce sera le Christ qui, par sa puissance, sa sagesse et son mystère est destiné à contenir le savoir, l'entendement et la pensée de toutes les Puissances, anges, multitudes et ordres. Parmi tous les ordres d'en haut et d'en bas, il n'en est aucun qui ne fasse partie intégrante du corps de la connaissance du Christ, lequel réalise l'unité et la communion de tous les êtres. Il tient, englobe, élève, pare, réjouit, libère et achève tous les mondes dans la vérité, en sorte que nous aussi nous pouvons dire avec le
90 bienheureux Paul : « En lui habite corporellement toute la plénitude de la divinité[g]. »

A lui la gloire, l'honneur et la grandeur pour les siècles des siècles. Amen !

g. Col. 2, 9.

VIII

Lettre envoyée par Thomasios à Mar Jean au sujet du mystère de l'économie du Christ.

J'informe Ta Sainteté, Monseigneur, qu'après mon départ de chez toi, ont surgi en mon esprit bien des questions à poser et à examiner sur le mystère de l'économie du Christ. Pourquoi son divin avènement dans le monde était-il requis? Que signifie l'économie du Christ, en vue de quoi a-t-elle eu lieu? Pourquoi ce mystère glorieux «s'est-il manifesté dans la chair[a]», selon la parole de l'apôtre Paul? Est-ce pour le salut des hommes seulement qu'a eu lieu sa venue, ou bien est-ce pour les mondes que s'est manifestée son opération? Et si c'est pour tous les mondes qu'il s'est manifesté, alors pourquoi s'est-il manifesté dans la chair? Comme ces questions s'agitaient sans **91** arrêt en moi-même, je me suis adressé à bien des gens pour qu'ils me fournissent des arguments convaincants au sujet du royaume. Et bien que beaucoup de points soient maintenant clairs après nos discussions, néanmoins je n'ai pas encore trouvé, au sujet du mystère du Christ, toutes les notions qui me satisfassent pleinement. Nous voulons cependant trouver notre repos dans le Christ comme tu l'as dit dans tes Hymnes[1] :

Le Christ est pour tout être le lieu du repos.
Hors de lui, point de repos.
En lui trouve repos l'esprit de ceux qui le cherchent.

a. I Tim. 3, 16.

1. Sur cet ouvrage perdu, cf. *sup*. p. 26, n. 4.

Et vraiment il en est ainsi : je sais, de par mon éducation et mon expérience d'homme, combien on trouve repos et joie dans le mystère du Christ, tandis que tous les savoirs qui sont étrangers à ce saint mystère n'apportent que fatigue et désagréments. Je m'étais mis en quête de quantité de connaissances : vu la peine qu'on se donne, bien mince est le profit que l'on en retire et la joie qu'elles apportent ne vaut pas les tracas qu'elles causent. Et non seulement ces sciences n'apportent pas consolation ni joie, mais elles causent aussi beaucoup de tristesse et de trouble. Je m'étais donc intéressé à scruter toutes sortes de phénomènes : j'ai cherché à connaître le cours des astres, à comprendre les variations de l'atmosphère, la succession des saisons, la cause de la fécondation, la structure et les formes du corps, la naissance des mâles et des femelles, **92** la cause qui produit la femelle et celle qui produit le mâle, comment sont conçus et engendrés les jumeaux, leur croissance, leur tempérament, leurs maladies et leurs remèdes jusqu'à leur mort, l'efficacité des herbes médicinales et celle qui se manifeste dans les pierres précieuses, ainsi que beaucoup d'autres questions que je ne vais pas énumérer[1]. Quand j'eus bien considéré tous ces phénomènes, compris à quel point leur connaissance et leur influence est liée à ce corps-ci, quand je me fus rendu compte que moi-même je ne suis qu'un être de chair et de sang et que je n'ai que peu de temps à paraître dans cette création visible – après quoi, tout cela se décomposera et disparaîtra – et que, jusqu'à la mort, je n'aurai que tribulations, je me suis demandé à quoi me servirait de me fatiguer à apprendre et quel profit je retirerais à pénétrer les arcanes de toutes ces sciences, puisque de tout cela je ne récoltais pour ainsi dire que désespérance.

1. Cette énumération de Thomasios nous donne une idée du type de problèmes dont discutaient les philosophes et les lettrés du temps de Jean. Une des questions les plus débattues était celle de la génération et de la formation de l'embryon. Cf. HERMÈS III, p. CXX s.

M'étant alors tourné vers la foi du Christ, mon esprit fut pris d'un fervent amour pour lui et la lumière de son espérance se leva en moi; je me rendis compte qu'il y a en moi autre chose que la chair et le sang et que cela vit grâce à la connaissance de soi. Car le Christ non seulement nous a donné la joie par son espérance, mais encore il nous a consolés et réjouis, en sorte que ce n'est pas en vain que nous avons peiné pour connaître autre chose. La mort ne nous trouble plus et la dissolution de notre corps ne nous désole pas davantage. Car ce que nous sommes dans le Christ n'est pas soumis à une fin; la mort n'a pas pouvoir sur cela. Grâces soient rendues à Dieu qui, dans sa grande tendresse, a rassemblé mes pensées qui erraient hors de **93** moi, a unifié mon âme qui était éparpillée de tous côtés loin de moi et loin de lui, et qui nous a constitués en lui comme un seul corps de connaissance, ainsi que tu l'as clairement et surabondamment exposé et expliqué dans la lettre que tu m'as adressée. Mais comme je ne puis aller chez toi en ce moment pour discuter de ce sujet, je demande à la sagesse de Dieu qui est en toi de m'écrire ce que tu sais sur le mystère du Christ tout-puissant et quels sentiments nous devons avoir vis-à-vis de son économie. Car par le premier entretien que nous avons eu ensemble, sur l'espérance future, le Christ nous a apporté la joie et a fait croître en nous la connaissance de cette espérance. Cela suffira à ta charité.

Tous les amis de Palestine te saluent.

Fin de la Lettre de Thomasios à Jean le Solitaire.

IX

94 ***Réponse de Mar Jean le Solitaire à Thomasios qui l'avait interrogé sur le mystère de l'économie du Christ qui a eu lieu pour tous.***
Premier Traité[1]

Tu dois offrir sans cesse au Christ la confession de l'amour débordant que tu lui portes. Il t'a en effet rendu digne de réaliser ce qu'il dit dans sa glorieuse parabole : «Le royaume des cieux est semblable à un négociant en quête de perles fines; en a-t-il trouvé une de grand prix, il s'en va vendre tout ce qu'il possède et achète cette perle[a].» Toi aussi, mon cher, tu étais parti en quête de bien des sagesses. Mais ayant trouvé la connaissance du mystère du Christ, qui est plus excellent et plus riche en beautés variées que toutes les sagesses, tu as laissé de côté toutes les connaissances pour implanter solidement en toi la connaissance du Christ, devenir riche grâce à lui et régner dans le glorieux royaume de Dieu.

En voyant la question que me pose Ta Charité, je m'étonne que l'ardeur de ton esprit et ton excès d'amour ne t'aient pas permis de prendre en considération notre 95 petitesse telle qu'elle est. Nous passons pour sages à tes yeux, alors qu'en nous-mêmes nous sentons combien nous sommes incapables d'ajouter quoi que ce soit à ce que d'autres t'ont déjà dit.

Ceux qui sont revêtus d'un corps, mais sont morts à la

a. Matth. 13, 45 s.

1. Sur les thèmes développés dans ces Traités, cf. Introd. p. 34.

vie de leur âme et ne vivent que par les instincts du corps, peuvent se contenter d'apprendre du Christ l'existence d'une autre vie. Mais pour ne pas frustrer ton désir, ni l'enthousiasme de ton esprit, ni ton amour pour le Christ, je ne te laisserai rien ignorer de ce que j'ai pu saisir, ni de ce que j'ai pu voir des traits de l'image aux multiples beautés du Christ. Supplions instamment le Christ, lui qui est la véritable forme et le véritable corps, l'image et la beauté de tous les mondes, d'agir en nous par sa grâce, de révéler en nous son mystère invisible, d'illuminer notre intelligence, de lui faire comprendre la profondeur de sa sagesse invisible, de purifier les opérations de notre pensée, afin que nous puissions voir les multiples beautés qui composent l'image de son mystère. Mais sois patient et écoute ce qui nous vient de la surabondance de sa grâce. Qu'il parle en nous sur lui-même! Car nous sommes incapables de parler de la richesse de ses mystères.

Le Dieu tout-puissant – plénitude de la perfection en lui-même – est le royaume en personne, la parure de sa beauté, la grandeur de son pouvoir, l'honneur de sa gloire, la paix de son essence, la base de sa puissance, la hauteur de sa vérité, la plénitude de son être, l'apparition de sa beauté, le lieu saint de sa joie, et la béatitude de son repos. Sa richesse n'est pas hors de lui, ni ses trésors hors de sa **96** sagesse, ni son apparaître hors de sa connaissance, ni son image hors de sa plénitude. Bien plus, il est l'apparaître lui-même, le trésor de sa connaissance, la richesse de ses trésors, le repos de sa volonté, le domaine de lui-même, et le monde de sa gloire.

Il est unique en sa perfection – en lui aucune dualité qui ferait penser que sa perfection a besoin d'une pluralité d'attributs et que sa force est quelque chose d'autre que sa force, son essence, sa lumière ou son savoir. Il est unique dans tout ce que nous disons sur lui pour le louer. Quand nous parlons de sa gloire, il est ainsi. Quand nous parlons de son royaume, il est ainsi. Quand nous parlons de sa splendeur, il est ainsi. Quand nous parlons de son pouvoir, il est ainsi. Quand nous parlons de sa lumière, il est la lumière même. Quand nous parlons de son savoir, il est le savoir même.

Parce qu'il ne peut être connu, ni perçu par aucune pensée raisonnable, nous prenons pour le louer des noms qui pour nous sont glorieux. Car son pouvoir est incomparable, sa beauté indescriptible, son amour incommensurable, sa pureté[1] est ineffable, son mérite inconcevable.

Même avec toutes les connaissances de toute une vie, on ne peut se représenter son unité. Il est parfait, en lui-même il trouve sa joie, son repos, sa jubilation, ses délices et son exultation. Tout-puissant, omniscient, il connaît et comprend tous les mondes, tous les ordres, les Puissances, les légions et les créatures, sans que chez lui elles soient distinguées comme elles le sont entre elles en créatures inférieures et en créatures supérieures.

97 Il n'y a pas chez lui de distinctions, de mouvements, de pensées supérieures et inférieures, en sorte qu'il connaisse et voie d'une manière les ordres supérieurs et d'une autre manière les ordres inférieurs. Dans sa connaissance, ils ne sont pas distincts les uns des autres comme ils l'étaient lors de leur création. Car il est unique dans toute sa plénitude. Mais de même qu'ils lui appartiennent dès leur venue à l'existence, de même lui connaît, voit et pénètre toutes ses créatures sans cependant le faire comme celles-ci, qui se connaissent et se considèrent les unes les autres d'après leurs différences en grandeur et en petitesse. Bien plus, il est tout-puissant et omniscient. Il perçoit tout, agit en tout, tandis qu'il est parfait dans sa propre unité et que sa connaissance n'est pas épanchée hors de lui dans une réflexion sur quelque chose d'inférieur à sa grandeur. Car rien n'échappe ni ne se dérobe à sa connaissance. Bien plus, sa pensée n'est pas une réalité distincte de lui au point de

1. En syriaque : *chafyûto*. Sur ce mot, cf. Introd. p. 42-43.

pouvoir se séparer de lui. Et quand il admoneste, dirige, instruit, enseigne, avertit, explique et éclaire toutes les puissances et les ordres, pour que chacun se réjouisse, se délecte et exulte en lui et progresse dans la vision et la contemplation de ses beautés multiples et ineffables, de ses richesses illimitées, comment pourrait-il être inférieur à la hauteur de la connaissance de lui-même pour scruter, avec le cours de la pensée, des êtres qui ont été créés et rendus **98** parfaits par lui? Car il n'est aucun être vivant qu'il n'étreigne de sa science, parce que l'unique mystère de son essence lui permet de maîtriser tout le contenu de leur connaissance, la force de leur grandeur, la splendeur de leur dignité, la gloire de leur repos et la sublimité de leur royaume. De même que dans la nature de son être il n'y a rien d'antérieur ni de postérieur, mais qu'il est le seul à exister tout entier en même temps que son essence, de même il est unique par la richesse de sa science. Toutes les sagesses, tous les ordres, principautés, anges, dominations, puissances sont comme sa sagesse, ils modèlent leur science sur la sienne, leur agir sur le sien, leur pouvoir sur son pouvoir tout-puissant. Toutes les sciences reçoivent de sa science éclaircissement. Toutes les créatures ont été honorées de l'image de son action créatrice, tous les êtres ont acquis par son image glorieuse le sceau de son action créatrice. De sa richesse toutes les créatures ont reçu parure, de sa liberté a été octroyée la liberté à tout vivant, de sa seigneurie toutes les Dominations ont reçu seigneurie, de la couronne de son royaume tous les royaumes ont reçu grandeur. Son être est la cause de tous les mondes. Son savoir discerne tous les savoirs. Sa puissance fortifie toutes les puissances et sa perfection donne à toutes les créatures plénitude et achèvement.

Ce Seigneur, Dieu et Créateur, à cause de l'abondance de ses miséricordes ineffables et de sa grâce sans limite, a **99** répandu sans mesure son amour sur tous les mondes, pour que, comme il se comprend lui-même et se connaît, eux aussi se connaissent eux-mêmes et le connaissent, lui. Telle est la première image de sa grâce pour toutes ses créatures.

Il les a encore parées d'une seconde image de sa grâce, en formant, en marquant de son sceau et en parachevant à sa ressemblance l'image de tous les êtres vivants. Parce qu'il est la perfection même, il n'a besoin de rien en dehors de lui-même, mais il est splendide et a sa joie et son repos en lui-même, il est le royaume lui-même et il a créé et parachevé toutes les puissances, les ordres et les classes d'êtres raisonnables, tandis que ni leur richesse, ni leur royaume, ni leur gloire, ni leur splendeur, ni leur dignité ne sont en dehors d'eux-mêmes. Leur vie ne dépend de rien d'extérieur à eux. Mais (ces Puissances et ces ordres) sont eux-mêmes la splendeur de leur dignité, la gloire de leur honneur et la lumière de leur majesté, sans qu'il y ait rien en eux qui ne ressemble à soi-même et sans que leur apparaître soit en dehors d'eux-mêmes mais ils se connaissent eux-mêmes par eux-mêmes et, à cause de la richesse de leur nature, ils exultent dans la joie de leur grandeur, ils y trouvent leur repos et ne sortent pas d'eux-mêmes, et le mouvement de leurs pensées ne les fait pas sortir de leur royaume de paix. Il est leur royaume, il est leur joie, la chambre nuptiale de leur honneur et leur monde glorieux, ils exultent en lui et il habite en eux. Il est leur corps 100 véritable. Ils se voient eux-mêmes en lui. C'est en lui qu'ils sont en communion les uns avec les autres, qu'ils se perçoivent et se connaissent les uns les autres. Il n'y a ni lieu, ni temps, ni intermédiaire qui s'interpose entre eux. Mais, de même que la pensée implique une multitude de mouvements sans que pour autant ceux-ci en soient gênés, confondus ensemble ou séparés les uns des autres par un intervalle quelconque, mais qu'au contraire, ils sont en communion et dialoguent entre eux, ainsi tous les ordres, puissances et créatures de lumière exultent et jubilent en Dieu et se réjouissent aussi de leur communion glorieuse, tandis que chacun d'eux est totalement un avec soi et d'une plénitude parfaite à l'image de Dieu. Telle est la deuxième image que les mondes ont reçue de la grâce surabondante de Dieu, à la ressemblance de l'image de sa grandeur.

De plus, dans sa grande tendresse, sa parfaite miséricorde et la plénitude de son amour, il a voulu glorifier et honorer ses créatures de la troisième image de sa grâce, en imprimant en elles les traits de sa propre image par le don de l'agir libre et souverain. De même que Dieu agit de façon parfaitement libre, efficace et souveraine et l'a montré en appelant les êtres à l'existence et en leur conférant l'éclatante dignité de personnes vivantes, de même il les a dotés aussi de la faculté d'agir souverainement.

101 Il existe aussi des ordres qui sont restés invisibles dans notre monde. Quant aux Principautés et Puissances de l'erreur, dans leur infatuation arrogante et leur amour de la vaine gloire, elles voulurent s'emparer du monde entier pour l'assujettir à leur pouvoir. Leur action consista à essayer de dissimuler aux hommes l'action divine dans les êtres. Voyant la naïveté des humains et leur ignorance de ce qu'est Dieu, elles se servirent de visions, de plantes, de pierres, de reptiles, d'animaux, etc., pour qu'en mettant bien en évidence leur activité dans ce genre de choses, elles arrivent à persuader les hommes qu'elles tenaient le monde en leur pouvoir. C'est ainsi que le bienheureux Paul, démasquant leur arrogance rebelle et leurs machinations, dit : « Ce n'est pas contre la chair et le sang que vous avez à lutter, mais contre les Principautés, contre les Puissances, contre les régisseurs de ce monde de ténèbres[b]. » Il appelle Puissances et Principautés celles qui, en se rebellant, ont pris pour elles-mêmes primauté et pouvoir; et c'est ainsi qu'elles ont usurpé l'adoration due à Dieu et ont essayé de s'approprier l'honneur de sa gloire.

Les hommes ne s'intéressant qu'au visible, furent

b. Éphés. 6, 12.

séduits, asservis à leur volonté. Comme ces Puissances savaient que l'homme, tout en possédant une nature glorieuse qui ne peut se passer de Dieu, son créateur, était **102** cependant mort en son âme, ne vivait et ne se mouvait que par les sens corporels, elles en profitèrent pour l'égarer au moyen d'images et de statues[1].

Quiconque a une conduite vertueuse et ne se rend pas esclave des passions déshonorantes est libéré de la corruption et des ténèbres de ce monde-ci et de la domination du péché qui empêche l'homme, asservi aux Puissances de l'erreur, d'échapper à leur emprise. Ces Puissances savaient que l'homme véritable ne peut être retenu captif chez elles que s'il est enchaîné aux convoitises; pour cette raison, elles agirent avec ruse en vue d'arriver à leur fin. Je vais expliquer comment elles peuvent retenir une âme captive chez elles : de même qu'un homme endormi qui est en proie à de vains cauchemars en est débarrassé à son réveil, de même les hommes étaient captifs des Puissances mauvaises et, à cause de l'erreur et des passions perverses, étaient livrés à leur bon plaisir, jusqu'à ce que vînt le Christ notre jour véritable et notre sainte lumière qui nous a réveillés, qui nous a fait revenir à nous-mêmes, nous a libérés de leurs mains. Telle était l'activité de ces Puissances : car il ne leur avait pas été révélé dès le commencement le temps de la fin du monde et de la destruction de leur pouvoir, ni que le Christ par son glorieux avènement allait libérer toutes les âmes. Je t'ai exposé tout cela pour que tu en aies une meilleure intelligence et que s'éclaire pour toi le mystère du Christ et la raison pour laquelle son

1, Selon Jean ce sont les Puissances rebelles – c'est-à-dire les anges déchus – qui ont enseigné aux hommes l'idolâtrie. On trouve trace de cette conception dans le *Livre d'Hénoch* 19, 1 : cf. *Das Buch Enoch,* éd. et trad. Joh. Flemming et L. Radermacher, *GCS* p. 48. – Il est à noter aussi que Jean qui habituellement qualifie la nature humaine de «petite» et de «faible et méprisable», la considère ici comme glorieuse à cause du destin auquel Dieu l'appelle.

divin avènement était nécessaire. Comme je l'ai déjà dit, le **103** Fils de Dieu, par sa grâce, a rendu tous les êtres vivants créés par lui, parfaits et accomplis à son image, en étant pour eux dès le commencement de leur existence, connaissance, vie, lumière, repos véritable, royaume saint et lieu de la paix. Cependant beaucoup d'ordres et de puissances se révoltèrent contre lui. Ce sont eux que l'Apôtre appelle «Principautés et Puissances». La nature humaine a été rendue complètement captive de l'erreur, et quiconque est captif de la chair et du sang a perdu sa dignité au sein de la profondeur du péché. De plus l'activité divine, qui était cachée comme l'âme dans le corps, fut complètement perdue de vue par tous. Parce que les créatures étaient sorties d'elles-mêmes en se tournant vers le monde extérieur, avaient perdu la connaissance d'elles-mêmes et la dignité reçue à leur création et oublié l'action invisible de Dieu cachée en elles[1], à cause de cela, celui qui est invisible et caché en tout être sortit de l'invisible vers le visible, pour se rendre visible là où chacun peut le voir. Car il s'est manifesté intérieurement par son opération à quiconque est revenu à soi-même. Et comme nous étions sortis de nous-mêmes pour nous tourner vers le corps et étions devenus participants de la chair et du sang, lui aussi revêtit notre corps pour se rendre visible à nous, avec tout ce qui nous est propre. Ce mystère de l'économie glorieuse du Christ qui s'est manifesté, qui est apparu en notre monde à la fin des temps, était prévu, préparé et caché dès avant la **104** création de ce monde, dans la science de Dieu le Père. Ainsi que le dit l'homme de Dieu, Paul : «Il nous a élus en lui dès avant la création du monde[c].» Donc avant que soient séparés les cieux, que soit déployé le firmament, qu'apparaisse la terre, que tout le visible soit organisé, nous, êtres

c. Éphés. 1, 4.

1. Quitter le centre de son âme équivaut à perdre de vue l'action invisible de Dieu dans l'homme.

faibles et inférieurs, par sa prescience il nous a prédestinés, choisis, renouvelés, sanctifiés, façonnés à l'image de son Fils, pour qu'après avoir perdu et oublié notre grandeur, notre dignité, notre splendeur et la gloire que nous avions reçue à notre création, nous soyons, grâce au Christ, renouvelés, rendus parfaits, et recevions en plénitude vie, vérité, richesse et sagesse des mystères de Dieu dans son monde saint. Lorsque Paul, dans sa deuxième Lettre à Timothée, mentionne notre appel et notre intimité avec Dieu, il dit que ce n'est pas à cause de nos œuvres, de notre justice ou de notre vertu que nous est venue cette espérance glorieuse, mais par la grâce de Dieu. «Il nous a sauvés et appelés d'un saint appel, non en considération de nos œuvres, mais conformément à sa volonté et à sa grâce, à nous donnée avant tous les siècles dans le Christ Jésus et maintenant manifestée par l'apparition de notre Sauveur Jésus-Christ[d].» Par là, il a montré qu'avant que soit connue l'action de l'air sur les variations de la température, que le ciel soit paré de ses luminaires, que soient connues les proportions du jour et de la nuit, que les saisons soient distinguées dans la constitution du monde et que nous
105 recevions l'empreinte et l'image d'un corps et devenions visibles dans une forme corporelle, il a préparé, disposé, appelé et sanctifié notre monde vivant et raisonnable au bonheur, à la splendeur et à la gloire de son royaume glorieux. Avec cette richesse et cette vie véritablement parfaite, il a glorieusement élevé notre création auprès de lui, avant même la création de ce monde-ci. Nous, de notre côté, à cause de l'erreur qui exerçait son empire sur nous, nous ne pouvions saisir le degré de grandeur que nous avions reçue lors de notre création. Il était donc nécessaire que se manifeste celui qui est notre grandeur et notre royaume, notre vie et notre vérité, pour que ce qui nous avait été donné avant le commencement du monde, dans la

d. II Tim. 1, 9 s.

prescience de Dieu le Père, nous soit manifesté par Jésus-Christ, en nous le figurant en lui du commencement à la fin, c'est-à-dire de la naissance à la mort. Comme il figure clairement ce qui est arrivé à notre âme et à notre vie véritable à cause de l'erreur, nous devons apprendre, en voyant son abaissement pour nous, à quelle profondeur nous étions tombés de la hauteur véritable. S'il a été crucifié pour nous, c'est pour que nous apprenions combien nous sommes captifs des passions corruptrices et plongés dans les ténèbres de l'erreur. Et de plus, en ressuscitant des morts dans la gloire de son Père, il veut nous révéler notre espérance, notre résurrection et notre vie véritable.

Mais peut-être diras-tu : Pourquoi cette grandeur ineffable et cette gloire qui, avant le commencement du monde, avait été préparée pour tous les mondes n'a-t-elle **106** été révélée qu'à la fin des temps? Et pourquoi la venue du Christ a-t-elle eu lieu à la fin du monde? Quel profit en ont retiré toutes les générations antérieures à sa venue? Car elles n'ont pas été témoins de son économie, n'ont pas eu connaissance de la résurrection des morts, ni n'ont appris l'existence d'un autre monde, mais ont quitté ce monde-ci en restant captives de l'erreur démoniaque?

Une longue attente a précédé la venue du Christ, premièrement parce qu'il voulait montrer sa souveraine liberté en ce monde. En outre, comme c'est l'enseignement du Christ qui a révélé la fin de ce monde et la destruction de toutes les Puissances et Seigneuries, il ne convenait pas que ce mystère fût révélé dès le commencement, alors que les « opérations » n'étaient pas encore visibles, ni les Puissances ne s'étaient manifestées, ni la capacité de chacun n'avait paru clairement, ni les fruits de la liberté ne s'étaient montrés. Et encore : parce que les hommes, à cause de leur infirmité, n'étaient pas capables, au début, d'accueillir le glorieux mystère du Christ, parce qu'ils n'avaient pas encore été exercés dans les choses inférieures et plus faibles que lui, ainsi que dans beaucoup d'autres choses connues de lui seul.

Si en effet cette économie n'avait eu lieu que pour les hommes, l'Apôtre n'aurait pas dit : « Le Christ a renouvelé toutes choses dans le ciel et sur la terre[e] », ni la révélation du Fils unique de Dieu n'eût été nécessaire. Mais comme Dieu le Père avait voulu promettre à tous les mondes de
107 leur révéler leur royaume, grandeur, gloire et repos véritable, et qu'aucun être vivant n'était par lui-même capable d'apporter à son semblable la révélation de son espérance, de son repos et de son royaume saint, seul celui par qui existent tous les êtres vivants et qui connaît leur nature, leur capacité, leur science, pouvait par lui-même leur montrer la gloire (à eux promise). Car celui qui en lui-même embrasse la connaissance de toutes ses créatures, sait comment elles deviennent parfaites. Celui qui connaît la cause de l'erreur et la force de la vérité peut anéantir l'erreur et révéler sa vérité : celui qui connaît la cause de la maladie est capable de guérir. Celui qui tient en sa main toute vie peut donner la vie à tous. C'est pourquoi, ainsi qu'il convient à la sagesse de Dieu, c'est par son Fils que Dieu a accompli cette économie. Et parce que nous, les hommes, étions incapables de comprendre la puissance de son opération en dehors de nous, il a dissimulé son invisibilité dans notre corps visible et il parachevé sa merveilleuse économie selon son bon plaisir pour le salut et la vie de tous. Cette économie du Christ ne pouvait se réaliser par le ministère des anges, parce que la nature est par elle-même incapable de manifester aux ordres supérieurs à elle une gloire et une grandeur qui surpasse tous les ordres et tout le créé. Car (la nature) n'est pas au-dessus de tout au point de pouvoir tout montrer dans son propre domaine[1]. C'est pourquoi seul devait se révéler et se faire

e. Éphés. 1, 10.

1. Connaissance implique connaturalité.

connaître par cette économie celui qui est plus grand que tous les mondes et est seul capable de montrer par lui-même la plénitude, la perfection, la félicité et la vérité partout à tous les vivants.

108 Celui qui est « l'image de Dieu[f] » et par qui ont été créés « Trônes, Seigneuries, Principautés, Puissances[g] » a été constitué « le premier-né de toutes les créatures[f] ». L'Écriture le nomme ainsi, non parce qu'il aurait été créé avant tout être, comme l'a cru Arius. Ce n'est pas ce qu'a voulu dire l'Apôtre dans sa lettre aux Colossiens. Mais parce que, comme le Christ a pris sur lui de se révéler par cette économie à toutes les créatures d'en haut et celles d'en bas et de ramener tout à lui, en se mettant lui-même plus bas que tout et en manifestant en retour sa résurrection et l'immensité de sa gloire, il doit être la tête et le premier-né de tous, tandis qu'il se fait voir de tous et fait se rassembler en lui toutes les opinions et connaissances pour qu'elles deviennent en lui l'unique vérité et que les mondes voient en lui leur félicité et leur royaume.

Mais alors, dira-t-on, si le Christ est venu pour tous les ordres (de la création), pourquoi s'est-il manifesté dans ce lieu-ci de préférence à tous les autres ? Parce qu'il est venu pour tous. S'il s'était manifesté dans le séjour des anges, le genre humain n'aurait pas été racheté et l'économie ne lui aurait été absolument d'aucun secours ; car alors cette économie aurait été tenue à distance, dissimulée aux regards de tous les hommes. Mais, délaissant tous les autres lieux, il s'est révélé dans un monde inférieur à tous les ordres, afin que nous ne soyons pas privés de sa lumière, de sa vérité et de l'espérance de son repos et que tous les ordres voient son opération dans ce monde-ci[1].

f. Col. 1, 15. || g. Col. 1, 16.

1. Pour que l'économie salvifique du Christ soit vue de tous les êtres spirituels et aussi des hommes, et donc profite à tous, il fallait qu'elle se déroule dans le monde inférieur qui est le nôtre.

109 Vraiment, frères, le Christ est l'image de tous les mondes et la forme véritable de tout vivant, grâce à la connaissance qu'ont de lui toutes les créatures, celles d'en haut et celles d'en bas. Celles-ci voient en lui leur gloire, honneur, repos, grandeur et plénitude; chaque catégorie à sa manière, selon sa capacité propre. Car son économie n'est pas limitée à un ordre (de créatures) seulement, ni son action ne s'est exercée sous une seule forme. Mais il s'est fait tout à tous, s'est manifesté en s'adaptant à chacun d'eux : aux êtres d'en haut selon leur manière, aux êtres d'en bas selon leur capacité, aux êtres célestes par un renouvellement qu'il est seul à connaître, aux êtres terrestres par l'espérance, la résurrection, la vie et la participation à sa grandeur, et aux Principautés et Puissances rebelles par l'humiliation de leur superbe, la liquidation de leur activité et l'anéantissement de leur pouvoir. Par sa révélation comme le créateur de toutes choses, ont été mises à nu les machinations de ces Principautés, qui cherchaient à faire croire aux hommes qu'elles sont toutes-puissantes. Lorsque cette seigneurie véritable s'est révélée, la seigneurie mensongère a été démasquée. Quand a surgi le Seigneur des seigneurs, il a confondu les princes du mensonge. Sa venue a profité non seulement aux hommes qui sont venus après, mais aussi aux légions d'en haut et aux générations antérieures.

De même que le soleil éclaire à son lever toutes les créatures, de même la révélation du Christ illumine toutes les âmes. Alors le mystère du Christ ne mériterait-il pas que nous disions à son sujet qu'il a sauvé tout être de la corruption?

Mais à cause de la perversité et de l'égarement extrême
110 qui tient les hommes en son pouvoir, on dirait que ceux-ci n'ont cure d'entendre parler de la richesse du salut accompli pour tous dans le Christ. Aussi le bienheureux Pierre, dans son Épître catholique, témoigne que l'avènement du Christ a apporté à toute âme aide et salut, lorsqu'il dit : «Mis à mort selon le corps, vivant selon l'Esprit, le

Christ s'en alla prêcher aux âmes retenues dans le Schéol, à ceux qui jadis, au temps de Noé, avaient refusé de croire[h]. » « Il prêcha » ne signifie pas que cela se passa avec la voix et la parole comme chez nous, mais revient à dire qu'il se révéla et se montra à eux et les sauva de la corruption et de l'erreur, qu'il appelle le Schéol, où sont retenus ceux qui sont captifs de la chair et du sang.

Nous n'avons pas de témoignage de l'Écriture prouvant qu'il serait choquant de dire du Christ qu'il n'a pas racheté seulement une génération ou un seul peuple, ni que son aide se limite au temps postérieur à sa venue, mais c'est sur toute la nature humaine, sur les hommes de tous les temps qu'il a répandu avec une égale profusion sa grâce et sa miséricorde. C'est parce que la génération du temps de Noé dont il parle, était connue comme la plus impie de toutes, que le bienheureux Pierre témoigne ici de la grâce du Christ, afin d'enseigner que cette grâce divine prévaut sur l'iniquité des hommes de tous les temps et qu'elle éclaire et sauve quiconque a péri en s'égarant loin de la vraie vie.

L'économie du Christ, mon cher, contient quantité d'images, de beautés et de mystères sans fin. Sa venue n'a **111** pas donné lieu à une représentation seulement. Ni sa naissance du sein maternel n'est à l'origine d'un thème unique, ni le corps qu'il a revêtu n'est à l'origine d'un mystère seulement. Son combat avec Satan n'a pas eu qu'une cause, par sa croix il ne nous a pas donné qu'un exemple et un modèle, et par sa résurrection il ne nous a pas donné seulement une preuve de son enseignement. Mais parce que les hommes sont tournés vers le domaine du corps et que tous leurs mouvements sont captifs, ils ne voient que ce qui a été opéré dans leur monde par l'économie corporelle du Christ. Ils ne considèrent que sa naissance, sa croissance, sa crucifixion, sa mort, sa résurrection et son ascension, et ils croient que le Christ est

h. I Pierre, 3, 18 s.

seulement celui qu'ils voient, et ils ne comprennent pas que si tout dans le ciel et sur la terre a été renouvelé par lui, ce n'est pas seulement par ce Christ que nous connaissons.

Si les anges ne savaient sur le Christ que ce que nous savons, quelle serait la grandeur et la gloire qu'ils ont reçues grâce au Christ? Mais peut-être dira-t-on que c'est par l'intermédiaire (du Christ) qu'il leur a été révélé qu'ils ne seraient plus envoyés en ce monde-ci et qu'ils n'y exerceraient plus leur action après l'anéantissement de l'univers créé. Celui qui tient un tel langage doit comprendre que le renouvellement glorieux et la plénitude que les anges ont reçus grâce au Christ n'impliquent pas de soi la fin de leur activité visible. Ou bien quelle dignité plus prestigieuse que celle qui est la leur maintenant auraient **112** reçu les Séraphins et les Chérubins grâce au Christ, s'ils avaient sur lui les mêmes pensées que les nôtres? Car le mystère sur lequel nous réfléchissons à propos du Christ est inférieur à celui de la nature raisonnable dans le ciel. Leur nature à eux n'a pas besoin de la résurrection des morts[1]. Mais le Christ est mort et ressuscité. Eux, nous les appelons les êtres invisibles. Le Christ, lui, est visible. Les anges peuvent se rendre visibles moyennant une opération. Le Christ n'a pas à recourir à une opération pour se rendre visible. Car un être visible ne peut voir les puissances invisibles si celles-ci ne se montrent à lui. Et comment les êtres invisibles peuvent-ils adorer celui qui leur est visible, tandis qu'eux-mêmes lui sont invisibles? Bien d'autres choses encore témoignent de la pauvreté de notre réflexion sur le Christ, en sorte que nous ne devons pas croire que nous pouvons saisir même un seul de ses mystères.

Qui sait ce que signifie la croix du Christ ou bien

1. Comme l'économie du Christ sur la terre a pour but le don de la résurrection aux hommes, l'économie invisible auprès des anges a un but encore plus élevé, puisque les anges n'ont pas besoin de la résurrection des morts.

pourquoi «il s'est manifesté dans la chair[i]». Mais il a revêtu notre petitesse, il s'est uni et lié à nous, pour que nous méritions l'opulence de son royaume. Au lieu de nous laisser investir par lui et d'apprendre de lui notre bassesse et notre exaltation, nous le confinons dans nos limites, alors qu'il ne peut être limité ni par les anges, ni par les Séraphins , ni par les Chérubins, ni par aucun des ordres et des puissances. Mais c'est lui qui peut tout et contient tout, se révèle à tous, est revêtu de tout et tient tout, de sorte que nous aussi, nous pouvons proclamer avec Paul : «Vrai- **113** ment, il est grand le mystère de la justice qui a été manifesté dans la chair, justifié dans l'Esprit, vu des anges, cru dans le monde, enlevé dans la gloire[i].»

A lui la gloire pour les siècles des siècles. Amen!

Fin du premier Traité adressé à Thomasios
sur le mystère de l'économie du Christ.

i. I Tim. 3, 16.

X

Deuxième Traité du même sur le mystère du Christ.

Seul le Christ lui-même connaît exactement et parfaitement quand il reviendra et réapparaîtra. Chacun ne connaît le mystère du Christ que partiellement. Quant à nous, nous affirmons à son sujet ce que nous pouvons et nous disons ce que nous voyons. Nous pourrions comprendre comment cet avènement divin était nécessaire à cette économie, si nous savions quelle force, quels mouvements et quelles 114 activités ont les Principautés et les Puissances, et si la nature, la puissance et la beauté de chacune des âmes nous étaient révélées, – quelle connaissance elles possèdent par nature, – comment l'erreur a reçu pouvoir sur elles, – comment les hommes ont été privés de la familiarité avec Dieu, – comment le péché règne sur nous, – comment se sont élevées contre nous les Puissances rebelles, – comment chacune des Principautés, quand elle veut s'approprier honneur et puissance, s'ingénie à faire écran à l'action de sa rivale pour faire apparaître la sienne, – comment les hommes ont bouleversé l'ordre de leur liberté, – comment, dans leur superbe, ils se sont élevés les uns contre les autres, – en sorte qu'à cause de la puissance des Principautés et des hommes se sont multipliées les oppositions et les querelles dans le monde, – qu'au lieu de la connaissance de Dieu se sont multipliées les connaissances, – qu'au lieu d'un seul chemin, beaucoup ont été frayés, – qu'au lieu d'un seul Dieu, on adore quantité de dieux, – que se sont multipliés les mystères, les lois, les sciences et les coutumes qui n'ont pas été mises par Dieu dans la nature, et comment, à l'instar des membres qui forment un seul corps, tous les hommes, les Puissances et les ordres sont constitués en un corps véritable, comment les hommes se sont séparés, dispersés dans le domaine des sciences mensongères, certains devenus captifs des mystères démoniaques et, de plus, divisés et devenus étrangers les uns aux autres, à cause des multiples oppositions entre les cultes, les uns adorant des statues, d'autres le soleil et la lune, d'autres connaissant les sept planètes, d'autres les racines ou les pierres précieuses, ou la vermine méprisable, ou la Terre, ou l'air, ou les arbres.

115 Si nous connaissions tout cela, et d'abord la paix puis la colère, la concorde et ensuite la division, la connaissance et ensuite l'erreur, nous comprendrions que cette économie qui pacifie toute vie et réunit tous ceux qui étaient divisés et qui par lui sont devenus parfaits, seul pouvait la réaliser celui par qui existent toutes choses dans le ciel et sur la terre. Qui en effet pouvait anéantir du milieu des créatures toute opposition, division, servitude, tout éloignement entre les hommes, leur captivité dans le domaine des sciences mensongères, qui pouvait racheter, renouveler, rétablir, justifier, libérer, rassembler, construire, unir et constituer le seul corps parfait de la connaissance véritable, sinon le Fils de Dieu pour qui tout est facile?

Tous ces rachats, saluts, louanges et gloires ineffables ont été donnés par le Christ. Il doit les manifester, les mener à terme en nous, quand les temps de la stabilité du monde arriveront à leur fin et que sera atteinte la limite de la patience qu'il a fixée au libre arbitre de chacun.

Explication des mystères du Christ

Abordons maintenant, comme le veut ta question, chacune des actions accomplies par le Christ lui-même et voyons combien de beautés nous en apparaissent. **116**

Disons d'abord pourquoi il a accompli son économie avec

un corps. «Il s'est manifesté dans un corps[a]» pour montrer sa puissance et afin que, dans la nature où avait abondé le péché, la grâce devînt plus forte[b] et que, dans cette même nature assujettie à la mort, fût détruit le pouvoir de celle-ci, que les machinations que le Calomniateur[1] y dissimulait y fussent anéanties, que le Christ la libérât de son asservissement aux Principautés et Puissances et que de son abaissement au-dessous de tout il l'élevât au-dessus de tout. C'est pourquoi l'Apôtre, quand il contemple cela et plus que cela, s'écrie en disant : «Il nous a fait monter et siéger avec lui dans le ciel au-dessus de toutes les Principautés, Puissances, Vertus et Seigneuries[c].»

Ensuite il est apparu dans la chair pour confondre la superbe des Principautés et des hommes arrogants, et pour qu'en voyant celui qui est au-dessus de tous les vivants et qui est Seigneur, Dieu et Créateur de tous les mondes, n'avoir pas honte de s'abaisser en revêtant la faiblesse qui est au-dessous de tous les ordres, soient confondues et réprouvées toutes les Puissances qui ont cherché à attirer à elles l'adoration des hommes ainsi que les hommes qui, dans leur arrogance, ont cherché à s'élever les uns contre les autres.

Encore : il s'est manifesté dans un corps pour ne pas faire croire aux Puissances rebelles que seule la force et la contrainte lui ont permis d'arracher les captifs de leurs mains et que sans la révélation de sa grandeur il ne pouvait démasquer leurs machinations ni libérer les hommes de leur esclavage. Bien au contraire, il s'est abaissé et a revêtu petitesse et pauvreté pour qu'en leur livrant combat, il les
117 condamne avec justice et terrasse leur tyrannie. Ceci suffit à propos de la manifestation corporelle.

a. I Tim. 3. 16. || b. Rom. 5, 20. || c. Éphés. 1, 20 s.

1. Litt. «celui qui mange un morceau», c'est-à-dire calomniateur, nom donné à Satan, père du mensonge et semeur de zizanie. Cf. *Gespr.*, 118, 15.

POURQUOI NOTRE SEIGNEUR, AVANT SON BAPTÊME PAR JEAN, N'A-T-IL PAS FAIT DE MIRACLES, ALORS QU'IL POUVAIT EN FAIRE?

Tâchons d'expliquer cela autant que possible. Donc pourquoi notre Seigneur, avant son baptême par Jean, n'a-t-il pas manifesté le triomphe de sa puissance par des prodiges, alors qu'il possédait le pouvoir d'en faire?

C'était d'abord pour ne pas se donner à lui-même le témoignage qu'il était le Christ, en se servant de ses propres miracles. Mais il s'est d'abord fait baptiser pour que les hommes reçoivent à son sujet le témoignage du Père et de l'Esprit disant qu'il est le Fils de Dieu et que son enseignement commence au baptême.

Ensuite c'était pour enseigner aux hommes que, de même que sa puissance ne s'était pas révélée par des signes avant le baptême, de même rien de la connaissance des mystères divins ne se manifeste dans l'homme avant qu'il ne vienne recevoir le baptême. Par baptême, je n'entends pas seulement le baptême visible, mais (aussi) celui qui nous plonge complètement hors de toute communion avec ce monde-ci. Et de même qu'après son baptême, notre Seigneur a manifesté sa puissance par des signes et des prodiges, de même, une fois que l'homme possède en lui parfaitement la puissance sainte du baptême, la gloire de son âme apparaît, tandis qu'il est paré de tous les dons divins[1].

SUR LE COMBAT DE SATAN CONTRE NOTRE SEIGNEUR APRÈS SON BAPTÊME.

Nous abordons maintenant dans notre traité le combat de notre Seigneur avec Satan, et allons montrer, autant que

1. Pour l'homme désireux d'accéder à la connaissance des mystères divins, le baptême visible ou sacramentel ne suffit pas. Il lui faut en recevoir un autre qui consiste essentiellement dans le renoncement au monde.

nous le pouvons, combien de mystères y sont cachés. Car le
118 Christ notre Seigneur a pris une forme humaine pour manifester clairement aux hommes, dans sa personne, tout ce qui se passait invisiblement au milieu d'eux, que cela vînt de Dieu ou de l'ennemi. De même que le tentateur s'approcha de lui visiblement et que, par bien des artifices, il essaya de soumettre notre Seigneur à son adoration, de même invisiblement, à toutes les générations, il use de ses artifices pour soumettre les hommes à son adoration. Et de même qu'il transporta visiblement notre Seigneur sur le pinacle du Temple[d] et sur une haute montagne[e], de même invisiblement, avec les passions de la vaine gloire, de l'orgueil et de l'arrogance, il a causé notre chute, loin de Dieu.

De plus, notre Seigneur lutta contre l'ennemi, parce que Dieu avait placé parmi les hommes ce mystère invisible, à savoir que celui qui lutterait, qui ferait monter sa supplication, qui triompherait valeureusement des machinations du Calomniateur et vaincrait ses convoitises, celui-là serait digne après le triomphe de sa victoire, des mystères de la science des anges. Mais comme les hommes n'étaient pas persuadés que ce mystère leur était donné par Dieu, le Christ l'a revêtu visiblement pour l'enseignement des hommes. Ainsi, dès avant sa lutte contre Satan, les anges s'approchèrent de lui et le servirent. Car tout ce qu'a fait le Christ n'était pas pour lui, mais pour nous. Ce n'était pas davantage parce qu'il en avait besoin, mais pour nous aider.

Que ce mystère venant de Dieu se trouve invisiblement présent parmi les hommes, nous le comprenons par l'exemple des anciens justes : ainsi le bienheureux Job,
119 après avoir achevé sa lutte contre Satan, a mérité de voir Dieu et d'entendre sa voix[f]. Le bienheureux Moïse, après être devenu expert dans les sciences occultes des Égyp-

d. Cf. Matth. 4, 5. || e. Cf. Matth. 4, 8. || f. Cf. Job 42, 5.

tiens[g] et avoir triomphé en lui-même de la science mensongère des démons, mérita alors de voir les anges sur le mont Sinaï[h]. Tel est l'ordre établi par Dieu pour éduquer les hommes dans les choses spirituelles. Néanmoins parfois Dieu agit ouvertement sans tenir compte de cet ordre. C'est ainsi qu'Abraham[i], Jacob[j], Ézéchiel[k], Daniel[l] et d'autres ont mérité de voir les anges avec leurs sens extérieurs. Par la lutte du Christ contre le tentateur nous apprenons que celui qui finalement remporte la victoire dans son combat contre les démons, mérite en son âme la révélation et la science des anges.

SUR LE MYSTÈRE DE LA CROIX DE NOTRE SEIGNEUR. POURQUOI NOTRE SEIGNEUR A-T-IL ACCOMPLI CE MYSTÈRE DE LA CROIX? A QUOI NOUS A SERVI SA CRUCIFIXION?

Parlons maintenant, selon notre petitesse, de ce que signifie pour nous le mystère de la croix. La croix du Christ opère le mystère de la mort du péché et celle de notre vieil homme, ainsi que le dit l'Apôtre : «Notre vieil homme a été crucifié avec lui, pour que soit détruit le corps du péché[m].» En outre, par la vue de sa croix, il nous enseigne sur notre homme invisible.

Comme nous n'avions pas compris comment nos sens intérieurs étaient captifs des passions odieuses et des convoitises corruptrices et ne pouvaient manifester leur efficacité par la science et la conduite vertueuse, il est apparu et nous a montré dans sa personne ce qui se trouve invisiblement en nous.

120 Quand nous voyons le Christ attaché à la croix, nous devons apprendre que la nature de l'âme, qui a été créée splendide et excellente, est invisiblement captive dans le corps comme notre Seigneur l'est visiblement sur la croix, pour qu'en apprenant ces choses, nous supportions diffici-

g. Cf. Act. 7, 22. || h. Cf. Act. 7, 30. || i. Cf. Gen. 18. || j. Cf. Gen. 32; Os. 12, 5. || k. Éz. 1. || l. Cf. Dan. 6, 23. || m. Rom. 6, 6.

lement les liens de l'âme et nous nous préoccupions de la libérer de toute pensée charnelle. De même, nous ne pouvons dire que ces paroles : « Il resta en croix, de la troisième à la neuvième heure[n] » n'ont pas été dites intentionnellement. En fait, c'est pour nous enseigner que dès notre jeunesse, qui est comme le matin de notre vie, et jusqu'à la fin, nous devons crucifier et faire mourir tous les membres de notre vieil homme. De même qu'après avoir guéri les infirmités corporelles, il s'est crucifié lui-même, de même l'homme, après avoir guéri les passions de son âme, peut crucifier sa pensée dans le Christ pour mourir à tout et vivre en lui seul. Ainsi le bienheureux Paul se glorifiait lui aussi dans la Croix lorsqu'il disait : « Par lui, le monde est crucifié pour moi et moi je suis crucifié au monde[o]. »

Il a enseigné aussi à tous que par le mystère de sa crucifixion il contient tout. Et comme la manière dont il contient tout invisiblement n'était pas évidente, il l'a représentée clairement dans la croix : de la même manière qu'il s'étend lui-même et prend toute la hauteur et la profondeur, la longueur et la largeur de la croix, de même il tient invisiblement la hauteur, la profondeur, la longueur et la largeur de tout. La puissance de la Croix excède la science de tous les êtres raisonnables. Et pour ne pas faire mésestimer la richesse de la Croix nous voulons à sa louange et pour l'enseignement de tous les vivants parler encore du mystère qui s'y est accompli. Car le Christ notre **121** Seigneur a accompli le mystère de son économie pour toutes les créatures raisonnables. De même qu'il a revêtu visiblement notre vêtement, de même il tient tout invisiblement. Tout est contenu par lui, lorsque par son corps il représente le véritable mystère de sa plénitude, et par la pluralité de ses membres toutes les Puissances et ordres en tout lieu. Il manifeste ainsi qu'il a rassemblé près de lui, lié et marqué de son sceau toute-puissance, pouvoir et

n. Cf. Mc 15, 25.34. || o. Gal. 6, 14.

économie, en sorte que son pouvoir prend la place de tout pouvoir, son économie remplace toute économie, et les mystères de sa sagesse prennent la place de tous les mystères.

Avant la révélation du Christ, l'activité de toutes les Puissances visait à multiplier les mystères et les sciences pour jeter partout confusion, disputes et inimitié. Mais le Christ par sa crucifixion a crucifié avec lui toutes les opérations des princes de l'erreur et, avec elles, le vieil homme tout entier par lequel elles agissaient à leur guise. C'est pourquoi le bienheureux Apôtre, en voyant comment le Christ a anéanti par sa croix toute cette opposition, erreur et inimitié et, par son pouvoir unique, élevé l'étendard de sa paix, dit : «Par sa croix, il a mis à mort l'inimitié et il est venu proclamer la paix à tous ceux qui étaient loin et à tous ceux qui étaient proches[p].» Vois, mon frère, comment chacune des actions du Christ n'a pas qu'un sens seulement. Elle n'apparaît pas à chacun comme elle nous apparaît à nous, ni comme nous la considérons. Mais toutes les créatures, où que ce soit et selon leur capacité et leur condition, ont trouvé dans le Christ leur enseignement, grâce à la connaissance de son saint mystère. S'il te semble qu'aucun des événements accomplis en sa personne ne comporte une signification particulière, que sa nais- **122** sance, son baptême et sa résurrection soient pour toi la preuve qu'ils ne se sont pas produits sans raison, car chacun de ces événements contient en lui-même son propre mystère.

Vraiment le Christ mérite immense gloire et louange pour avoir révélé ces mystères et ces réalités invisibles à des êtres revêtus d'une chair et d'un sang corruptibles. Car celui qui ne perçoit pas comment le Christ a fait revivre et a ressuscité, libéré et renouvelé chacun, ne sait pas ce qu'est

p. Éphés. 2, 16 s.

le mystère du Christ ni la raison de sa venue, ni que c'est lui qui a tout renouvelé dans le ciel et sur la terre.

Je n'entends pas ce mot «renouvellement» au sens courant, comme quand on dit que ceux qui sont souillés ont reçu renouvellement dans le Christ. Mais par «renouvellement» j'entends la vérité, la perfection, l'unité ineffable qu'ils ont reçus par le Christ. A l'instar des hommes, tous les vivants sont devenus, grâce au Christ, meilleurs, plus grands, plus élevés et plus parfaits.

Comment, grâce au Christ, les êtres d'en haut ont-ils été rendus parfaits : c'est un mystère qui nous échappe. Si nous connaissions leur nature, leur rang et leur science ou à quels mystères s'applique leur intellect, nous pourrions saisir quel renouvellement ils ont reçu grâce au Christ. Si leur nature nous est invisible, à plus forte raison la grandeur que par lui ils ont reçue. Mais laissons de côté le mystère du renouvellement que les êtres d'en haut ont reçu dans le Christ et, après avoir parlé de notre chute, (nous pourrons saisir) quel renouvellement et quel salut (nous ont été apportés) par le Christ.

123 Parlons donc d'abord de notre chute et de la profondeur de notre déchéance pour mieux comprendre notre résurrection et notre grandeur.

L'homme en s'éloignant du vrai Dieu, Père et Seigneur, s'était rendu étranger à lui; il avait perdu toute trace de la vie parfaite et véritable, avait dissipé les trésors cachés en lui-même, s'était privé de la connaissance de Dieu, pour tomber dans les profondes ténèbres de l'ignorance, et était devenu lui-même ténèbres, enveloppé des brouillards de l'erreur, incapable de se connaître lui-même.

Les Principautés et Puissances rebelles virent alors toute sa misère et sa solitude, parce qu'en s'engageant sur le chemin des mauvaises actions, il s'était égaré loin de son Père véritable. Elles constatèrent qu'il était sans intelligence, ne connaissait ni son Créateur, Seigneur et Dieu, ni les créatures qu'il a créées, qu'il ne se comprenait pas lui-même et ignorait qui il était, où et comment il était. Alors elles le séduisirent avec leur (fausse) grandeur, leur superbe et leur amour de la vaine gloire et, au lieu de le ramener à lui-même et au sens de Dieu, elles le saisirent, l'humilièrent, le réduisirent en servitude et l'égarèrent. Et il devint tout décrépit dans son laborieux esclavage, elles l'abaissèrent et, l'entraînant avec elles, le jetèrent dans l'abîme de l'ignorance. Mais lorsque le Dieu qui est invisible à tous les mondes vit comment elles tenaient l'homme captif, l'entraînaient sur leurs sentiers scabreux, l'enfermaient dans leurs forteresses inexpugnables, le jetaient dans leurs fosses pestilentielles, le liaient avec les chaînes du châtiment, il envoya à toutes les époques des **124** messagers, des sauveurs, des voyants et des aides. Et voyant qu'il n'y avait personne pour avoir compassion et pitié, pour le délivrer en l'arrachant de leurs mains, il eut pitié de son humiliation sans bornes. Et comme dans les mondes, les ordres, les puissances, il n'était pas possible de détruire sans combat leurs forteresses inexpugnables, ni de défaire leurs chaînes, guérir leurs souillures et leurs meurtrissures et les faire sortir avec un corps sain de leurs demeures ténébreuses, il voulut dans sa sagesse et son amour inconcevables humilier leur orgueil et étaler au grand jour leur fourberie et leur mensonge. C'est sans lutte, ni stratagème qu'il s'empara de leurs biens, mais c'est en s'humiliant qu'il vainquit leur orgueilleuse tyrannie et libéra les captifs humiliés. Ceux qui étaient délivrés avaient perdu la lumière de leur connaissance qui leur permettait de voir et de comprendre leur Créateur et Seigneur. Comme ils ne vivaient et ne se mouvaient que par les sens corporels et ne se rendaient pas compte qu'ils étaient autre chose que chair et sang, ils ne s'intéressaient qu'à ce qu'ils avaient en propre. C'est pourquoi lui qui est Dieu et Seigneur revêtit la chair et le sang pour qu'ils puissent comprendre qu'il est leur Seigneur, leur Dieu et leur Sauveur. C'est pourquoi le Fils de Dieu, dans sa miséri-

corde ineffable et son amour infini, accepta de devenir le messager, le médiateur, le chef d'armée, le consolateur, le guide, le Sauveur; il s'humilia, descendit, prit notre vête-
125 ment, se rendit visible, vint et alla ici et là, nous chercha et nous trouva pendant que nous étions encore enchaînés, misérables, corruptibles, gisant à terre, plongés dans de profondes ténèbres. Il vit la profondeur de notre avilissement et notre corruption. Il eut compassion de nous, s'approcha, nous délia et nous guérit[1], étendit la main et nous guida, nous prit la main, nous remit debout, nous redonna courage, nous fit triompher, nous sauva, nous racheta, nous rassembla, nous rendit meilleurs, nous pacifia, nous unifia, nous purifia, justifia, pardonna, sanctifia, consola, réjouit, libéra, enrichit, honora, renouvela, nous para et nous façonna à son image, nous redonna vie, nous ressuscita, nous enseigna, nous éduqua, nous illumina, nous donna l'intelligence, nous fit approcher, s'unit à nous, nous réconcilia, nous fit participer à sa grandeur, nous éleva jusqu'à son monde de vérité et à son royaume de paix. Car vraiment il est notre attente, notre espérance, notre résurrection. Il est beauté, parure, gloire, splendeur, jour, lumière, vie, richesse, trésor, savoir, pensée, intellect, sagesse, connaissance, voie et chemin, montée, hauteur, lieu de paix, chambre nuptiale des joies, véritable sanctuaire, béatitude de notre repos, royaume parfait et monde nouveau.

Un des merveilleux aspects des mystères de l'économie du Christ, c'est que ce mystère et cette personne (du Christ) sont au service des hommes. Et par là, le Christ est pour eux un exemple et un modèle du fait qu'ils sont destinés à recevoir la perfection et la plénitude du repos et de la connaissance véritable, c'est-à-dire le salut, le renouvelle-

1. Le salut considéré comme une guérison opérée par le Christ médecin est un thème cher à la tradition patristique et en particulier à Clément d'Alexandrie : cf. MARROU I, p. 113, 119.

ment et la liberté, grâce à lui notre Seigneur et notre Dieu, le Christ.

A lui la gloire pour les siècles des siècles. Amen! **126**

Fin du deuxième Traité sur le mystère du Christ.

XI

Troisième Traité du même sur le mystère de l'économie du Christ notre Seigneur

Que tout ce que nous allons exposer sur l'extrême richesse des mystères du Christ soit vraiment pour toi comme un petit caillou que l'on prend d'une haute montagne et un grain de sable du rivage de la mer. Celui qui mérite de percevoir ne fût-ce qu'un peu des multiples beautés du Christ ne tombe jamais dans l'illusion d'oser croire qu'en dehors de ce peu il sait quelque chose sur lui.

Mais nous, mon frère, nous ne laisserons pas de côté sa gloire, ni sa grandeur auprès de son Père, pour ne considérer que son abjection et sa petitesse au milieu de nous, et, au lieu de sa puissance, scruter sa faiblesse, au lieu de son pouvoir souverain – c'est-à-dire sa grandeur qui tient en sa main les ordres et les Puissances –, scruter ce qu'il a accompli pour nous et par quoi il s'est rendu visible 127 et a réalisé notre salut et notre libération. Nous ne nous priverons pas de nous émerveiller de son invisibilité dans tous les mondes, les créatures et les êtres vivants, et nous ne limiterons pas notre considération seulement à sa révélation visible parmi nous. Nous ne voulons pas détourner le regard de sa richesse, ni considérer seulement sa pauvreté, car toutes les deux faisaient partie de sa manifestation corporelle, de son service, de son commerce avec nous et de son action volontaire. Mais avec la fin des temps nous voulons aller au bout de ces choses, en voir l'ordonnance et à nouveau saisir intelligemment comment, envoyé par le Père, il a accepté de venir dans la bassesse et l'humilité, en cachant sa grandeur dans notre petitesse, son mystère dans la révélation, son invisibilité dans la visibilité, sa gloire dans l'abjection, sa seigneurie dans la servitude, sa richesse dans la pauvreté, sa divinité dans la corporéité. Ainsi il devint visible et il accomplit l'ordre de son économie jusqu'à ce qu'il eût achevé pleinement son œuvre selon la volonté de son Père. Ainsi après avoir mis le sceau final à son économie, il voila sa mortalité dans la vie, sa petitesse dans la grandeur, sa révélation dans le secret, sa visibilité dans l'invisibilité, son abjection dans la gloire, sa servitude dans la seigneurie, sa pauvreté dans la richesse, son humanité dans la divinité, son service auprès de nous dans l'adoration et l'honneur (qui lui est dû) avec le Père, puisqu'il est parfait et possède totale souveraineté sur les ordres, Puissances, mondes et créatures. Invisible à tous auprès de son Père, il apparut, se révéla et se lia à chacun.

128 Nous qui sommes captifs de la chair et du sang et asservis à la corruption du corps, nous renonçons à nous émerveiller de ses richesses invisibles qui sont dans tous les mondes, dans les multitudes célestes, de ses beautés glorieuses et parfaites, de toutes ses créatures raisonnables et spirituelles. Nous scrutons seulement l'accomplissement de son économie, celle qui appartient à un passé révolu. Car a complètement disparu ce qui nous le rendait visible et lui permettait d'accomplir son économie glorieuse et son opération invisible en tout, avec tout et pour tout, pour être ensuite exalté, adoré par les ordres et les créatures. Mais nous, jusqu'à présent, nous le rabaissons parce que nous nous bornons à ne connaître de lui que sa manifestation visible et à ne saisir de toutes ses beautés, formes, mystères et opérations qui ont lieu partout, que ce qu'il en a manifesté dans le lieu de notre séjour. S'il n'était que ce que nous avons de lui en notre monde, où serait le salut qu'il a apporté aux mondes? le renouvellement qu'il a accompli chez les anges? son action auprès des Puissances, son pouvoir chez les Dominations, sa seigneurie chez les Principautés, sa sagesse chez les Séraphins, sa science chez les Chérubins? sa grandeur, sa richesse, sa perfection et sa vérité auprès du Père?

Si nous ignorons ce que signifie le renouvellement qu'il a accompli chez les anges, ce que connaissent de lui les Séraphins et comment les Puissances pensent sur lui, croyons-nous alors connaître le Christ? Il voit également toutes ses créatures, celles d'en haut et celles d'en bas. Il **129** entend toutes les prières que toutes les créatures font monter vers lui en l'adorant. Il perçoit en son âme les mouvements et les pensées de tous les vivants, en sa connaissance toutes les connaissances, en son savoir tous les savoirs, en son mystère tous les mystères, en son pouvoir tous les pouvoirs, en sa seigneurie toutes les seigneuries.

Comment le Christ pourrait-il être atteint et limité par quoi que ce soit, lui dont la puissance n'est limitée par aucune puissance, ni la science enfermée dans aucune science, ni la sagesse saisie par aucune sagesse, ni la beauté représentée par aucune beauté, ni l'image comparable à aucune autre, mais qui réside en toutes les puissances, dont l'opération est cachée à toutes les opérations, dont le pouvoir tient en sa main tous les pouvoirs, dont le mystère apparaît dans tous les ordres et les natures raisonnables d'en haut et d'en bas, et qui habite en tous, est caché en tous, est mêlé et uni à tous et revêtu par tous.

Le Christ ne ressemble à aucune image avec laquelle nous le comparons, à aucune des formes avec lesquelles nous le représentons, à aucune des comparaisons avec lesquelles nous le comparons, à aucune des représentations avec lesquelles nous le montrons.

Néanmoins, pour ton profit et celui des gens qui tomberont sur ces Traités, nous allons éclairer notre exposé en montrant comment, tout en étant ce qu'il est en lui-même, caché et invisible à tout être, il est uni et se communique à toutes les créatures raisonnables en tant que telles.

Le feu est mêlé à l'air, à toutes les eaux de la mer, des fleuves et des sources, à la course du globe terrestre, aux champs des étoiles, à la révolution des astres, aux racines, pierres, arbres et bois, est mêlé à tout et revêt tout, tout en conservant l'unité de sa nature, sans se confondre avec aucune de ces choses, ni être détruit par elles, mais en gardant ce qui le constitue comme élément, allant avec le mouvement de la terre, éclairant avec le soleil, changeant avec l'air, humide avec l'eau, sec avec les pierres, se mêlant et s'unissant à chaque être et en prenant les caractéristiques. De même la puissance du Christ réside cachée dans tous les ordres, les puissances, les créatures raisonnables et tandis que, de par sa propre grandeur, il tient dans sa main la fin de toutes les fins, la hauteur des hauteurs, la profondeur des profondeurs, il réside invisible, est uni, mêlé, en communion avec chaque multitude, ordre, essence raisonnable comme telle[1]. **130**

De même que le sang est la vie de tous les membres et bien qu'étant lui-même naturellement en mouvement à l'intérieur, il est néanmoins enveloppé par les artères, organes, nerfs et os, fait tout grandir et vivre, se fond en tout, se mélange à tout et s'unit à tout, porte tout et sans perdre la force de sa chaleur, ni l'éclat de sa couleur, il va avec les pieds, touche avec les mains, voit avec les yeux, entend avec les oreilles, sent avec le nez, parle avec la langue, goûte avec le palais, comprend avec le cerveau,

1. Ce rôle privilégié reconnu au feu dans la constitution de l'univers est enseigné par Héraclite et les Stoïciens. D'après Hippolyte de Rome, Simon le magicien aurait à son tour, prétendu que « le feu est le principe de tout », *Philosophumena* VI, 9 (trad. A. Siouville II, Paris 1928, p. 16). De même, pour CLÉMENT D'ALEXANDRIE, « le feu est le plus puissant des éléments et l'emporte sur tout », *Eclogae propheticae* 26, 2, éd. O. Staehlin, III Bd, Leipzig 1909, p. 144.

respire avec les poumons, pense avec le cœur, saisit avec les 131 reins et avec chacun des membres, des sens et des artères, il se comporte de la même manière qu'eux. De même la force de la sagesse divine du mystère du Christ enveloppe tous les mondes, s'étend à tous, agit en tous, il rend tout grand, il enrichit de sa science chacun des ordres de la même manière et se mêle et s'unit pareillement à chaque image de la science.

Il est avec Dieu le Père adorable et inaccessible, avec les ordres supérieurs et glorieux, élevé et exalté, avec les ordres des Chérubins, caché et splendide, avec la gloire des Séraphins, glorieux et voilé, avec les troupes des anges, invisible et guide, avec les Puissances et les Principautés, Seigneur et fort, avec les hommes, méprisé et humilié par tous, homme de douleurs, connaissant les souffrances de chacun. Le Christ est parfait et achevé dans sa propre singularité, ses multiples aspects sont indicibles et ses nombreux visages sont insaisissables. Ainsi le bienheureux Paul, cet intendant des mystères divins qui avait perçu la richesse du mystère du Christ, comment il s'est élevé et abaissé, exalté et humilié, mêlé, lié à tous pour sauver tout le monde, a parfaitement reproduit l'image du Christ en sa personne. Il fut tout à tous, Juif avec les Juifs[a], Araméen avec les Araméens, sans-loi avec les sans-loi[b], il se fit semblable à chacun afin que chacun ait part à l'Évangile du Christ.

132 Le Christ, de par sa volonté, sauve chacun invisiblement, en nous guidant, réconciliant, recréant, affermissant, ordonnant, confirmant, sanctifiant, purifiant, embellissant, ornant, couronnant, élevant et traçant l'image et la structure de notre homme nouveau, à la ressemblance de sa connaissance et à l'image de sa sagesse et selon la forme de son savoir vivant et vivifiant. Cela et bien plus que cela – richesses inexprimables –, il l'opère en nous-mêmes de

a. Cf. I Cor. 9, 20. || b. Cf. I Cor. 9, 21.

l'intérieur et par sa force toute-puissante. Quant à ses créatures invisibles, il les élève et les enrichit de richesses proportionnées à elles et à leur capacité, et plus grandes que les nôtres.

La raison pour laquelle bien des gens voient le Christ dans la pauvreté, je vais l'expliquer par une image : Prenons un homme habile et expert, riche de multiples connaissances, en possession de toutes les sagesses, connaissant les signes des Chaldéens[1], les secrets des puissants, l'efficacité des simples, la composition des corps, la nature des démons et le monde nouveau, lorsque cet homme veut communiquer toutes ses connaissances, il revêt l'apparence des gens simples, naïfs, sans détour, et leur tient son discours en s'adaptant à leurs capacités et pour leur profit. Quant aux gens instruits, ils sont choqués par les propos que tient cet homme, car ils n'ont de sa science qu'un petit aperçu destiné aux gens simples, et alors combien pauvre et réduite est la science de cet homme à leurs yeux ! De même, celui qui laisse de côté les mystères et les multiples opérations du Christ auprès de toutes les **133** puissances, les multitudes et les ordres dans le ciel, et se borne à réfléchir et à méditer seulement sur l'économie qu'il a accomplie pour nous dans ce monde inférieur, celui-là se prive de tout ravissement, joie et émerveillement devant l'immense gloire du Tout-Puissant.

Quand nous parlons de l'espérance future, nous n'y voyons pas qu'un seul thème, un seul mystère ou un seul sens. Car y sont inclus : la résurrection des morts, la communion avec Dieu, la vie avec les anges, des récompenses de toute sorte, des béatitudes ineffables, des promesses, la vie, diverses révélations, la science spirituelle, la sagesse que nous sommes destinés à recevoir, une paix exempte de la lutte des pensées, un repos véritable qui ne

1. Les Chaldéens étaient célèbres dans l'Antiquité pour leur connaissance et leur interprétation des signes du zodiaque.

connaît plus le mouvement du combat contre le péché, ainsi que d'autres choses que nous ne percevons pas[1]. Ainsi le Christ tient et embrasse tout, tandis que l'image de ses mystères est la parure et la gloire de toutes les créatures ; sa beauté est le plaisir et la joie de tous les ordres, sa gloire est la grandeur et la plénitude de tous les parfaits, sa perception est le fondement de toutes les âmes, sa compréhension est la structure et la plénitude de ses membres bénis, sa lumière est la vue de tous les spirituels, son espérance est le souffle et la respiration de tous les hommes, sa connaissance est l'animation de toutes les connaissances, son savoir est la force de tous les savoirs, son mystère est le **134** discernement de tous les mouvements, sa pensée est la joie de toutes les pensées, sa sagesse est la pensée de toutes les créatures, son intellect est la lumière et la compréhension de toutes les pensées, sa vérité est le corps et la forme de tous les mondes.

Mais nous, au lieu de demander instamment au Christ qu'il nous donne de percevoir ces choses pour que nous le connaissions, bien que nous ayons à cœur d'accomplir sa volonté grâce aux commandements qu'il nous a laissés, nous l'appauvrissons de ses richesses illimitées et de ses nombreux mystères merveilleux et glorieux en ne considérant qu'un des signes qu'ils montrent pour prouver notre espérance et notre résurrection. Et, tandis que nous voulons enfermer et limiter le Christ dans ce signe par lequel nous le voyons, que nous le scrutons et le divisons selon notre infirmité et qu'ainsi nous nous causons à nous-mêmes un dommage qui n'est pas mince, nous ne jetterons le blâme sur personne, parce que chacun perçoit le mystère du Christ selon sa capacité, car c'est avec ce qu'il voit dans son amour pour le Christ que chacun cherche à aider et à

1. Ce texte essaie d'exprimer dans toute sa richesse le contenu de l'espérance apportée par le Christ grâce à l'économie qu'il a accomplie durant sa vie mortelle.

édifier les hommes sur la vérité; et cela, quoiqu'il en soit de la manière dont le Christ est annoncé, que ce soit occasionnellement ou pour de bon.

Sur le sujet que tu m'as demandé, je vais te répondre en quelques mots : Cette unique personne du Christ, c'est tout le contenu du mystère de l'Évangile. C'est le même que les Écritures placent dans la hauteur et la profondeur, le visible et l'invisible, le divin et l'humain, la naissance divine et la naissance humaine, quand elles le nomment Fils Unique, Premier-né, Jésus-Christ, Dieu et Homme, Créateur, Seigneur et Serviteur qui est descendu et qui est monté au ciel.

Car il y a un ordre véritable qui lui donne sa louange de **135** façon concordante et qui surtout exclut totalement toute séparation et division dans sa parfaite communion. Tous ces changements et ces nombreuses formes, les Écritures les attribuent au Christ, parce qu'il n'est pas dans l'humiliation sans être dans l'exaltation, et son exaltation ne va pas sans son humiliation. Il ne renonce pas à la divinité et il n'est pas privé de la participation à l'humanité; mais lui seul est parfait, fidèle et véridique en tout. Son humiliation est dans sa grandeur et son exaltation dans son humiliation, dans la confession du Fils unique de Dieu.

Quand on le nomme avec le nom de la divinité, c'est qu'il y est vraiment. Quand on parle de sa grandeur, c'est qu'il y est vraiment. Quand on le décrit dans la petitesse, c'est qu'il y accomplit son service. Quand on l'appelle Seigneur, c'est qu'il l'est vraiment; esclave et serviteur, c'est qu'il s'est montré effectivement ainsi; ange, c'est qu'il est l'« Ange du grand conseil[c] »; Père, c'est qu'il est le Père du monde à venir, parfait en tout et à qui rien ne manque.

Les saintes Écritures montrent clairement son authentique économie, parce qu'elles ne nous donnent pas la confession de sa divinité sans y associer son humanité, ni

c. Cf. Is. 9, 6.

ne nous laissent confesser son humanité sans sa divinité. Mais elles annoncent, enseignent et transmettent aux hommes l'unique personne du Fils unique de Dieu, dans l'exaltation et l'humiliation. Car à ceux qui refusaient de confesser la corporéité du Christ, l'Apôtre adresse ce reproche : «Il est issu de la lignée de David selon la **136** chair[d].» Et à ceux qui enseignent sa naissance de Marie sans dire qu'il est le Fils unique du Père, l'enseignement véridique de Paul proclame : «Quand vint la plénitude des temps, Dieu envoya son Fils né d'une femme[e].» Personne n'est envoyé qui ne soit un être subsistant par lui-même. Ceux qui refusent de l'appeler Dieu véritable doivent cependant souscrire à l'enseignement du bienheureux Paul : «D'eux est issu le Christ qui est apparu dans la chair, Dieu au-dessus de tout[f].» «Un seul Seigneur, Jésus-Christ par qui tout existe[g].» Ceux qui enseignent qu'il est homme doivent savoir qu'il est aussi Dieu. Ceux qui le disent Dieu en le privant de sa corporéité et de sa communion avec nous, qu'ils se laissent convaincre par les saines paroles de Paul qui, pour ainsi dire, nous a peint avec des couleurs, l'image de son abaissement. Et ceux qui le divisent en distinguant en lui deux fils, que leur suffise la nouvelle annonce de l'Évangile de notre Sauveur, le Fils unique de Dieu, que les prophètes, les apôtres et les anges ont transmise aux hommes[1].

Quant à nous, frères, ôtons et rejetons loin de nous tout ce qui est en dehors du mystère de sa volonté, pour peindre et imprimer en notre âme l'image du Fils unique de Dieu. Celui-ci a vu que notre infirmité et notre mortalité nous empêchaient de percevoir sa venue divine, s'il venait à nous dans notre âme par le véritable chemin. Parce que

d. Rom. 1, 3. || e. Gal. 4, 4. || f. Rom. 9, 5. || g. I Cor. 8, 6.

1. On a ici résumées trois des principales hérésies christologiques : 1° l'arianisme qui niait la divinité du Christ; 2° le docétisme négateur de la réalité de son humanité corporelle; 3° le nestorianisme pour qui l'union du Verbe avec la nature humaine est une union surtout morale.

nous n'étions pas tournés vers nous-mêmes pour recevoir 137
de l'intérieur sa révélation, il fut contraint à cause de son immense bienveillance de se manifester lui-même dans la condition de notre servitude. C'est ce dont témoigne le bienheureux Paul, quand il dit : «Lui qui était l'image de Dieu[h] prit la forme de l'esclave[i].»

Frères, nous ne devons pas regarder le Christ de l'extérieur. Celui qui le regarde ainsi ne voit que sa pauvreté, non sa richesse, sa petitesse et non sa grandeur, il les voit avec les yeux, mais non avec la puissance, la gloire, l'honneur qu'il possède auprès de tous, avec tous et pour tous.

Sache encore ceci : sa pauvre apparence, c'est elle qui sauve même tous ceux dont le regard n'est tourné que vers l'extérieur. Ô richesse insondable du Christ qui ne répand pas la vie d'un côté seulement, dont la lumière n'éclaire pas que sous une forme, dont la connaissance n'emprunte pas uniquement le chemin tout tracé de la connaissance, dont la sagesse ne se rend pas visible seulement sous une forme, dont la pensée n'est pas représentée que par une pensée, dont le mystère n'est pas saisi que par un mystère, dont l'amour ne se limite pas seulement à une âme, dont le service dans l'économie n'est pas lié qu'à une tâche, dont la résurrection dans son effet n'est pas limitée qu'à une forme, dont l'apparition n'est pas exprimable que par une seule apparition, dont la véritable image n'est pas représentable que par une image intellectuelle, dont le pouvoir ne règne 138
pas que dans un pouvoir, dont la puissance ne vainc pas que dans une puissance, qui ne surpasse pas seulement un ordre, mais embrasse tous les côtés, qui est capable de recevoir toutes les formes, qui s'étend sur tous les chemins, qui se fait voir sous toutes les formes, qui, à cause de sa bienveillance, est trouvé partout selon la capacité de ceux qui le trouvent, qui est représenté par toutes les pensées, à

h. Phil. 2, 6. || i. Phil. 2, 7.

cause de leur amour, mais selon leur capacité et non selon sa grandeur, qui est exprimé par toutes les connaissances selon leur mesure, mais non selon ce qu'il est, dont la richesse est semée dans les intellects des êtres d'en haut et de ceux d'en bas.

Chaque être vivant, il l'amène à sa connaissance, chaque monde devient visible comme lui.

Il se révèle à tous les ordres selon leurs capacités, il se penche sur chacun pour l'élever, il s'abaisse avec chacun pour l'exalter.

Bien qu'il soit adoré avec le Père, il a été envoyé comme messager, il a revêtu notre humanité pour se rendre visible, il s'est comporté comme un serviteur. Il s'est manifesté comme un médecin[1], il a été comme un frère, il a servi comme un esclave, parlé comme un maître, écouté comme un disciple, lutté comme un héros, succombé comme un vaincu. Il a été vendu comme un esclave, il a libéré comme un seigneur, il a admonesté comme un juge, il a été jugé comme un coupable. Il a été indigent avec les indigents, donnant l'aumône aux pauvres avec ceux qui donnent l'aumône, jeûnant avec ceux qui jeûnent, tenté avec les tentés, luttant avec ceux qui soutiennent le combat, observant la Loi avec ceux qui observent la Loi, avec Dieu récompensant ceux qui peinent, héritage avec les fils, testateur avec le Père, suppliant avec ceux qui prient, exauçant les demandes avec le Père, envoyé avec les

139 envoyés, agneau offert avec les pécheurs, avec les prêtres Grand-Prêtre qui pardonne, avec les morts mis à mort, avec Dieu ressuscitant les morts, avec les persécutés persécuté, avec Dieu vengeur des persécutés, avec les outragés outragé, avec les souffrants frappé, avec Dieu guérissant, malade avec les malades, fort avec les forts, parfait avec les parfaits, nécessiteux avec les nécessiteux afin de les rendre parfaits, libérateur avec les libérateurs,

1. Sur ce thème du Christ médecin, cf. *sup.*, p. 156, n. 1.

captif avec les captifs afin de libérer ses compagnons de captivité lorsqu'il fut conduit à la mort.

Que dois-je mentionner de ses multiples beautés ineffables, de ses manifestations innombrables et de ses images insaisissables?

Je ne parlerai que d'une chose qui témoigne de la richesse de son mystère, de la profusion de son amour et de son union avec chacun. Il va dans tous les genres de vie pour sauver chacun d'eux. Il brille dans toutes les beautés pour séduire tout homme, il parle dans toutes les promesses pour consoler tous les hommes, il sert dans toutes les circonstances pour sauver toutes les conditions de vie, il est en communion avec chacun pour faire participer chacun à son repos. Il se penche vers chacun pour élever chacun jusqu'à son royaume glorieux où exultent les puissances de la paix, se réjouissent les cohortes des ordres de lumière et se meuvent les mondes raisonnables dans la connaissance du Père tout-puissant.

Telle est la force, la grandeur et la gloire du Christ autant **140** que nous pouvons la comprendre. Admirable est son mystère et glorieuse est son opération. Le pouvoir de sa liberté a une telle force que rien ne peut le lier ni le limiter. Au contraire, il peut s'élever, s'abaisser, grandir et s'humilier, s'enrichir et se faire pauvre. Ce que j'ai dit et que je répète maintenant, ce n'est pas de la nature divine que je le dis, en affirmant qu'elle est sujette au changement ou que sa grandeur s'est transformée en esclavage. Mais sa pauvreté et sa petitesse opèrent dans la chair qu'il a prise de nous, tandis que ce qui se passe dans son humanité est attribué à sa divinité, à cause de son unité indivisible et qu'il reste dans la grandeur de son essence (divine). «Pour vous, bien que riche, il s'est fait pauvre[j].» Ainsi s'est-il rendu visible dans la faiblesse, bien qu'il soit fort. Il a revêtu la petitesse,

j. II Cor. 8, 9.

bien qu'il soit élevé et glorieux, il a pris une apparence méprisable, bien qu'il soit splendide et glorieux, il a pris la mortalité, bien qu'il soit vivant et dispense la vie. A celui dont il a été dit que de riche il est devenu pauvre, cela non plus n'est pas étranger, car il est la plénitude de tout, comme le dit le bienheureux Paul : « Il a voulu faire habiter en lui toute la plénitude et par lui réconcilier tous les êtres[k]. » En lui, dit-il, est cachée, voilée, enfermée, toute la vraie perfection et sagesse de toutes les créatures, et en lui elles sont toutes réconciliées, en communion entre elles, 141 elles reçoivent plénitude, perfection, de par le seul accord de la connaissance réconciliatrice et de la vérité, en sorte que dans tous, il est en parfait accord avec lui-même et qu'en lui ne se trouve aucune contradiction qui rendrait les mystères étrangers les uns aux autres. C'est pourquoi, nous aussi nous pouvons nous écrier avec le bienheureux Paul : « Par sa Croix, il a tué l'inimitié[l] » et « il a réconcilié ce qui est au ciel et sur la terre[m]. »

A Lui la gloire pour les siècles des siècles. Amen !

Fin des trois Traités adressés à Thomasios
sur les mystères du Christ.

k. Col. 1, 19. || l. Éphés. 2, 16. || m. Cf. Col. 1, 20.

INDEX SCRIPTURAIRE

N.B. Dans chaque colonne les chiffres de droite renvoient aux pages de la traduction.

INDEX DES NOMS PROPRES

N.B. Les chiffres renvoient aux pages de la traduction.

INDEX DES THÈMES LES PLUS IMPORTANTS

N.B. Les chiffres renvoient aux pages de la traduction.

TABLE DES MATIÈRES

INDEX

INDEX

SOURCES CHRÉTIENNES

LISTE COMPLÈTE DE TOUS LES VOLUMES PARUS

N.B. – L'ordre suivant est celui de la date de parution (n° 1 en 1942) et il n'est pas tenu compte ici du classement en séries : grecque, latine, byzantine, orientale, textes monastiques d'Occident; et série annexe : textes para-chrétiens.

Sauf indication contraire, chaque volume comporte le texte original, grec ou latin, souvent avec un apparat critique inédit.

La mention *bis* indique une seconde édition. Quand cette seconde édition ne diffère de la première que par de menues corrections et des *Addenda et Corrigenda* ajoutés en appendice, la date est accompagnée de la mention «réimpression avec supplément».

1. GRÉGOIRE DE NYSSE : **Vie de Moïse.** J. Daniélou (3e édition) (1968).
2 bis. CLÉMENT D'ALEXANDRIE : **Protreptique.** C. Mondésert, A. Plassart (réimpression de la 2e éd., 1976).
3 bis. ATHÉNAGORE : **Supplique au sujet des chrétiens.** *En préparation.*
4 bis. NICOLAS CABASILAS : **Explication de la divine Liturgie.** S. Salaville, R. Bornert, J. Gouillard, P. Périchon (1967).
5. DIADOQUE DE PHOTICÉ : **Œuvres spirituelles.** É des Places (réimpr. de la 2e éd., avec suppl., 1966).
6 bis. GRÉGOIRE DE NYSSE : **La création de l'homme.** *En préparation.*
7 bis. ORIGÈNE : **Hom. sur la Genèse.** H. de Lubac, L. Doutreleau (1976).
8. NICÉTAS STÉTHATOS : **Le paradis spirituel.** *Remplacé par le n° 81.*
9 bis. MAXIME LE CONFESSEUR : **Centuries sur la charité.** *En préparation.*
10. IGNACE D'ANTIOCHE : **Lettres – Lettres et Martyre de** POLYCARPE DE SMYRNE. P.-Th. Camelot (4e édition) (1969).
11 bis. HIPPOLYTE DE ROME : **La Tradition apostolique.** B. Botte (1968).
12 bis. JEAN MOSCHUS : **Le Pré spirituel.** *En préparation.*

13. JEAN CHRYSOSTOME : **Lettres à Olympias.** A.-M. Malingrey. Trad. seule (1947).

13 bis. 2ᵉ édition avec le texte grec et la **Vie anonyme d'Olympias** (1968).

14. HIPPOLYTE DE ROME : **Commentaire sur Daniel.** G. Bardy, M. Lefèvre. Trad. seule (1947).
2ᵉ édition avec le texte grec. *En préparation.*

15 bis. ATHANASE D'ALEXANDRIE : **Lettres à Sérapion.** J. Lebon. *En prép.*

16 bis. ORIGÈNE : **Hom. sur l'Exode.** H. de Lubac, J. Fortier. *En prép.*

17. BASILE DE CÉSARÉE : **Sur le Saint-Esprit.** B. Pruche. Trad. seule (1947).

17 bis. 2ᵉ édition avec le texte grec (1968).

18 bis. ATHANASE D'ALEXANDRIE : **Discours contre les païens.** P.-Th. Camelot (1977).

19 bis. HILAIRE DE POITIERS : **Traité des Mystères.** P. Brisson (réimpression, avec supplément, 1967).

20. THÉOPHILE D'ANTIOCHE : **Trois livres à Autolycus.** G. Bardy, J. Sender. Trad. seule (1948).
2ᵉ édition avec le texte grec. *En préparation.*

21. ÉTHÉRIE : **Journal de voyage.** H. Pétré. *Remplacé par le nº 296.*

22 bis. LÉON LE GRAND : **Sermons** 1-19. J. Leclercq, R. Dolle (1964).

23. CLÉMENT D'ALEXANDRIE : **Extraits de Théodote.** F. Sagnard (réimpr., 1970).

24 bis. PTOLÉMÉE : **Lettre à Flora.** G. Quispel (1966).

25 bis. AMBROISE DE MILAN : **Des Sacrements. Des Mystères. Explication du Symbole.** B. Botte (réimpr. de la 2ᵉ éd., 1980).

26 bis. BASILE DE CÉSARÉE : **Homélies sur l'Hexaéméron.** S. Giet (réimpr. avec suppl., 1968).

27 bis. **Homélies Pascales.** t. I. P. Nautin. *En préparation.*

28 bis. JEAN CHRYSOSTOME : **Sur l'incompréhensibilité de Dieu.** J. Daniélou, A.-M. Malingrey, R. Flacelière (1970).

29 bis. ORIGÈNE : **Homélies sur les Nombres.** A. Méhat. *En préparation.*

30 bis. CLÉMENT D'ALEXANDRIE : **Stromate I.** *En préparation.*

31. EUSÈBE DE CÉSARÉE : **Histoire ecclésiastique,** t. I. Livres I-IV. G. Bardy (réimpression, 1964).

32 bis. GRÉGOIRE LE GRAND : **Morales sur Job,** t. I. Livres I-II. R. Gillet, A. de Gaudemaris (1975).

33 bis. **A Diognète.** H.-I. Marrou (réimpr. avec suppl., 1965).

34. IRÉNÉE DE LYON : **Contre les hérésies,** livre III. F. Sagnard. *Remplacé par les nºˢ 210 et 211.*

35 bis. TERTULLIEN : **Traité du baptême.** F. Refoulé. *En préparation.*

36 bis. **Homélies Pascales,** t. II. P. Nautin. *En préparation.*

37 bis. ORIGÈNE : **Homélies sur le Cantique.** O. Rousseau (1966).

38 bis. CLÉMENT D'ALEXANDRIE : **Stromate II.** *En préparation.*

39 bis. LACTANCE : **De la mort des persécuteurs.** 2 vol. *En préparation.*

40. THÉODORET DE CYR : **Correspondance,** t. I. Y. Azéma (1955).

41. EUSÈBE DE CÉSARÉE : **Histoire ecclésiastique,** t. II. Livres V-VII. G. Bardy (réimpression, 1965).
42. JEAN CASSIEN : **Conférences,** t. I. E. Pichery (réimpression, 1966).
43 bis. JÉRÔME : **Sur Jonas.** *En préparation.*
44. PHILOXÈNE DE MABBOUG : **Homélies.** E. Lemoine. Trad. seule (1956).
45. AMBROISE DE MILAN : **Sur S. Luc,** t. I. G. Tissot (réimpr. avec suppl., 1971).
46 bis. TERTULLIEN : **De la prescription contre les hérétiques.** *En préparation.*
47. PHILON D'ALEXANDRIE : **La migration d'Abraham.** *Épuisé.* Voir série «Les Œuvres de Philon».
48. **Homélies Pascales,** t. III. F. Floëri et P. Nautin (1957).
49 bis. LÉON LE GRAND : **Sermons** 20-37. R. Dolle (1969).
50 bis. JEAN CHRYSOSTOME : **Huit catéchèses baptismales inédites.** A. Wenger (réimpr. avec suppl., 1970).
51 bis. SYMÉON LE NOUVEAU THÉOLOGIEN : **Chapitres théologiques, gnostiques et pratiques.** J. Darrouzès et L. Neyrand (1980).
52 bis. AMBROISE DE MILAN : **Sur S. Luc,** t. II. G. Tissot (réimpr. avec suppl., 1976).
53 bis. HERMAS : **Le Pasteur.** R. Joly (réimpr. avec suppl., 1968).
54. JEAN CASSIEN : **Conférences,** t. II. E. Pichery (réimpression, 1966).
55. EUSÈBE DE CÉSARÉE : **Histoire ecclésiastique,** t. III. Livres VIII-X. G. Bardy (réimpression, 1967).
56. ATHANASE D'ALEXANDRIE : **Deux apologies.** J. Szymusiak (1958).
57. THÉODORET DE CYR : **Thérapeutique des maladies helléniques.** 2 volumes. P. Canivet (1958).
58 bis. DENYS L'ARÉOPAGITE : **La hiérarchie céleste.** G. Heil, R. Roques, M. de Gandillac (réimpr. avec suppl., 1970).
59. **Trois antiques rituels du baptême.** A. Salles. Trad. seule. *Épuisé.*
60. AELRED DE RIEVAULX : **Quand Jésus eut douze ans.** A. Hoste, J. Dubois (1958).
61 bis. GUILLAUME DE SAINT-THIERRY : **Traité de la contemplation de Dieu.** J. Hourlier (réimpression, 1977).
62. IRÉNÉE DE LYON : **Démonstration de la prédication apostolique.** L. Froidevaux. Nouvelle trad. sur l'arménien. Trad. seule (réimpr., 1971).
63. RICHARD DE SAINT-VICTOR : **La Trinité.** G. Salet (1959).
64. JEAN CASSIEN : **Conférences,** t. III. E. Pichery (réimpr., 1971).
65. GÉLASE Ier : **Lettre contre les Lupercales et dix-huit messes du sacramentaire léonien.** G. Pomarès (1960).
66. ADAM DE PERSEIGNE : **Lettres,** t. I. J. Bouvet (1960).
67. ORIGÈNE : **Entretien avec Héraclide.** J. Scherer (1960).
68. MARIUS VICTORINUS : **Traités théologiques sur la Trinité.** P. Henry, P. Hadot. Tome I. Introd., texte critique, traduction (1960).
69. **Id.** – Tome II. Commentaire et tables (1960).
70. CLÉMENT D'ALEXANDRIE : **Le Pédagogue,** t. I. H.-I. Marrou, M. Harl (1960).

71. ORIGÈNE : **Homélies sur Josué.** A. Jaubert (1960).
72. AMÉDÉE DE LAUSANNE : **Huit homélies mariales.** G. Bavaud, J. Deshusses, A. Dumas (1960).
73 bis. EUSÈBE DE CÉSARÉE : **Histoire ecclésiastique,** t. IV. Introd. générale de G. Bardy et tables de P. Périchon (réimpr. avec suppl., 1971).
74 bis. LÉON LE GRAND : **Sermons** 38-64. R. Dolle (1976).
75. S. AUGUSTIN : **Commentaire de la Ire Épître de S. Jean.** P. Agaësse (réimpression, 1966).
76. AELRED DE RIEVAULX : **La vie de recluse.** Ch. Dumont (1961).
77. DEFENSOR DE LIGUGÉ : **Le livre d'étincelles,** t. I. H. Rochais (1961).
78. GRÉGOIRE DE NAREK : **Le livre de Prières.** I. Kéchichian. Trad. seule (1961).
79. JEAN CHRYSOSTOME : **Sur la Providence de Dieu.** A.-M. Malingrey (1961).
80. JEAN DAMASCÈNE : **Homélies sur la Nativité et la Dormition.** P. Voulet (1961).
81. NICÉTAS STÉTHATOS : **Opuscules et lettres.** J. Darrouzès (1961).
82. GUILLAUME DE SAINT-THIERRY : **Exposé sur le Cantique des Cantiques.** J.-M. Déchanet (1962).
83. DIDYME L'AVEUGLE : **Sur Zacharie.** Texte inédit. L. Doutreleau. Tome I. Introduction et livre I (1962).
84. **Id.** – Tome II. Livres II et III (1962).
85. **Id.** – Tome III. Livres IV et V, Index (1962).
86. DEFENSOR DE LIGUGÉ : **Le livre d'étincelles,** t. II. H. Rochais (1962).
87. ORIGÈNE : **Homélies sur S. Luc.** H. Crouzel, F. Fournier, P. Périchon (1962).
88. **Lettres des premiers Chartreux,** tome I : S. BRUNO, GUIGUES, S. ANTHELME. Par un Chartreux (1962).
89. **Lettre d'Aristée à Philocrate.** A. Pelletier (1962).
90. **Vie de sainte Mélanie.** D. Gorce (1962).
91. ANSELME DE CANTORBÉRY : **Pourquoi Dieu s'est fait homme.** R. Roques (1963).
92. DOROTHÉE DE GAZA : **Œuvres spirituelles.** L. Regnault, J. de Préville (1963).
93. BAUDOUIN DE FORD : **Le sacrement de l'autel.** J. Morson, É. de Solms, J. Leclercq. Tome I (1963).
94. **Id.** – Tome II (1963).
95. MÉTHODE D'OLYMPE : **Le banquet.** H. Musurillo, V.-H. Debidour (1963).
96. SYMÉON LE NOUVEAU THÉOLOGIEN : **Catéchèses.** B. Krivochéine, J. Paramelle. Tome I. Introduction et Catéchèses 1-5 (1963).
97. CYRILLE D'ALEXANDRIE : **Deux dialogues christologiques.** G. M. de Durand (1964).
98. THÉODORET DE CYR : **Correspondance,** t. II. Y. Azéma (1964).
99. ROMANOS LE MÉLODE : **Hymnes.** J. Grosdidier de Matons. Tome I. Introduction et Hymnes I-VIII (1964).

100. Irénée de Lyon : **Contre les hérésies,** livre IV. A. Rousseau, B. Hemmerdinger, Ch. Mercier, L. Doutreleau. 2 vol. (1965).
101. Quodvultdeus : **Livre des promesses et des prédictions de Dieu,** R. Braun. Tome I (1964).
102. **Id.** – Tome II (1964).
103. Jean Chrysostome : **Lettre d'exil.** A.-M. Malingrey (1964).
104. Syméon le Nouveau Théologien : **Catéchèses.** B. Krivochéine, J. Paramelle. Tome II. Catéchèses 6-22 (1964).
105. **La Règle du Maître.** A. de Vogüé. Tome I. Introd. et chap. 1-10 (1964).
106. **Id.** – Tome II. Chap. 11-95 (1964).
107. **Id.** – Tome III. Concordance et Index orthographique. J.-M. Clément, J. Neufville, D. Demeslay (1965).
108. Clément d'Alexandrie : **Le Pédagogue,** tome II. Cl. Mondésert, H.-I. Marrou (1965).
109. Jean Cassien : **Institutions cénobitiques.** J.-C. Guy (1965).
110. Romanos le Mélode : **Hymnes.** J. Grosdidier de Matons. Tome II. Hymnes IX-XX (1965).
111. Théodoret de Cyr : **Correspondance,** t. III. Y. Azéma (1965).
112. Constance de Lyon : **Vie de S. Germain d'Auxerre.** R. Borius (1965).
113. Syméon le Nouveau Théologien : **Catéchèses.** B. Krivochéine, J. Paramelle. Tome III. Catéchèses 23-34, Actions de grâces 1-2 (1965).
114. Romanos le Mélode : **Hymnes.** J. Grosdidier de Matons. Tome III. Hymnes XXI-XXXI (1965).
115. Manuel II Paléologue : **Entretien avec un musulman.** A.-Th. Khoury (1966).
116. Augustin d'Hippone : **Sermons pour la Pâque.** S. Poque (1966).
117. Jean Chrysostome : **A Théodore.** J. Dumortier (1966).
118. Anselme de Havelberg : **Dialogues,** livre I. G. Salet (1966).
119. Grégoire de Nysse : **Traité de la Virginité.** M. Aubineau (1966).
120. Origène : **Commentaire sur S. Jean.** C. Blanc. Tome I. Livres I-V (1966).
121. Éphrem de Nisibe : **Commentaire de l'Évangile concordant ou Diatessaron.** L. Leloir. Trad. seule (1966).
122. Syméon le Nouveau Théologien : **Traités théologiques et éthiques.** J. Darrouzès. Tome I. Théol. 1-3, Éth. 1-3 (1966).
123. Méliton de Sardes : **Sur la Pâque (et fragments).** O. Perler (1966).
124. **Expositio totius mundi et gentium.** J. Rougé (1966).
125. Jean Chrysostome : **La Virginité.** H. Musurillo, B. Grillet (1966).
126. Cyrille de Jérusalem : **Catéchèses mystagogiques.** A. Piédagnel, P. Paris (1966).
127. Gertrude d'Helfta : **Œuvres spirituelles.** Tome I. **Les Exercices.** J. Hourlier, A. Schmitt (1967).
128. Romanos le Mélode : **Hymnes.** J. Grosdidier de Matons. Tome IV. Hymnes XXXII-XLV (1967).

129. SYMÉON LE NOUVEAU THÉOLOGIEN : **Traités théologiques et éthiques.** J. Darrouzès. Tome II. Éth. 4-15 (1967).

130. ISAAC DE L'ÉTOILE : **Sermons.** A. Hoste, G. Salet. Tome I. Introduction et Sermons 1-17 (1967).

131. RUPERT DE DEUTZ : **Les œuvres du Saint-Esprit.** J. Gribomont, É. de Solms. Tome I. Livres I et II (1967).

132. ORIGÈNE : **Contre Celse.** M. Borret. Tome I. Livres I et II (1967).

133. SULPICE SÉVÈRE : **Vie de S. Martin.** J. Fontaine. Tome I. Introduction, texte et traduction (1967).

134. **Id.** – Tome II. Commentaire (1968).

135. **Id.** – Tome III. Commentaire (suite), Index (1969).

136. ORIGÈNE : **Contre Celse.** M. Borret. Tome II. Livres III et IV (1968).

137. ÉPHREM DE NISIBE : **Hymnes sur le Paradis.** F. Graffin, R. Lavenant. Trad. seule (1968).

138. JEAN CHRYSOSTOME : **A une jeune veuve. Sur le mariage unique.** B. Grillet, G.-H. Ettlinger (1968).

139. GERTRUDE D'HELFTA : **Œuvres spirituelles.** Tome II. **Le Héraut.** Livres I et II. P. Doyère (1968).

140. RUFIN D'AQUILÉE : **Les bénédictions des Patriarches.** M. Simonetti, H. Rochais, P. Antin (1968).

141. COSMAS INDICOPLEUSTÈS : **Topographie chrétienne.** Tome I. Introduction et livres I-IV. W. Wolska-Conus (1968).

142. **Vie des Pères du Jura.** F. Martine (1968).

143. GERTRUDE D'HELFTA : **Œuvres spirituelles.** Tome III. **Le Héraut.** Livre III. P. Doyère (1968).

144. **Apocalypse syriaque de Baruch.** Tome I. Introduction et traduction. P. Bogaert (1969).

145. **Id.** – Tome II. Commentaire et tables (1969).

146. **Deux homélies anoméennes pour l'octave de Pâques.** J. Liébaert (1969).

147. ORIGÈNE : **Contre Celse.** M. Borret. Tome III. Livres V et VI (1969).

148. GRÉGOIRE LE THAUMATURGE : **Remerciement à Origène. – La lettre d'Origène à Grégoire.** H. Crouzel (1969).

149. GRÉGOIRE DE NAZIANZE : **La passion du Christ.** A. Tuilier (1969).

150. ORIGÈNE : **Contre Celse.** M. Borret. Tome IV. Livres VII et VIII (1969).

151. JEAN SCOT : **Homélie sur le Prologue de Jean.** E. Jeauneau (1969).

152. IRÉNÉE DE LYON : **Contre les hérésies,** livre V. A. Rousseau, L. Doutreleau, C. Mercier. Tome I. Introduction, notes justificatives et tables (1969).

153. **Id.** – Tome II. Texte et traduction (1969).

154. CHROMACE D'AQUILÉE : **Sermons.** Tome I. Sermons 1-17. J. Lemarié (1969).

155. HUGUES DE SAINT-VICTOR : **Six opuscules spirituels.** R. Baron (1969).

156. Syméon le Nouveau Théologien : **Hymnes.** J. Koder, J. Paramelle. Tome I. Hymnes I-XV (1969).
157. Origène : **Commentaire sur S. Jean.** C. Blanc. Tome II. Livres VI et X (1970).
158. Clément d'Alexandrie : **Le Pédagogue.** Livre III. Cl. Mondésert, H.-I. Marrou et Ch. Matray (1970).
159. Cosmas Indicopleustès : **Topographie chrétienne.** Tome II. Livre V. W. Wolska-Conus (1970).
160. Basile de Césarée : **Sur l'origine de l'homme.** A. Smets et M. Van Esbroeck (1970).
161. **Quatorze homélies du IXe siècle d'un auteur inconnu de l'Italie du Nord.** P. Mercier (1970).
162. Origène : **Commentaire sur l'Évangile selon Matthieu.** Tome I. Livres X et XI. R. Girod (1970).
163. Guigues II le Chartreux : **Lettre sur la vie contemplative** (ou **Échelle des Moines). Douze méditations.** E. Colledge, J. Walsh (1970).
164. Chromace d'Aquilée : **Sermons.** Tome II. S. 18-41. J. Lemarié (1971).
165. Rupert de Deutz : **Les œuvres du Saint-Esprit.** Tome II. Livres III et IV. J. Gribomont, É de Solms (1970).
166. Guerric d'Igny : **Sermons.** Tome I. J. Morson, H. Costello, P. Deseille (1970).
167. Clément de Rome : **Épître aux Corinthiens.** A. Jaubert (1971).
168. Richard Rolle : **Le chant d'amour (Melos amoris).** F. Vandenbroucke et les Moniales de Wisques. Tome I (1971).
169. **Id.** – Tome II (1971).
170. Évagre le Pontique : **Traité pratique.** A. et C. Guillaumont. Tome I. Introduction (1971).
171. **Id.** – Tome II. Texte, traduction, commentaire et tables (1971).
172. **Épître de Barnabé.** R.-A. Kraft, P. Prigent (1971).
173. Tertullien : **La toilette des femmes.** M. Turcan (1971).
174. Syméon le Nouveau Théologien : **Hymnes.** J. Koder, L. Neyrand. Tome II. Hymnes XVI-XL (1971).
175. Césaire d'Arles : **Sermons au peuple.** Tome I. Sermons 1-20. M.-J. Delage (1971).
176. Salvien de Marseille : **Œuvres.** Tome I. G. Lagarrigue (1971).
177. Callinicos : **Vie d'Hypatios.** G.J.M. Bartelink (1971).
178. Grégoire de Nysse : **Vie de sainte Macrine.** P. Maraval (1971).
179. Ambroise de Milan : **La pénitence.** R. Gryson (1971).
180. Jean Scot : **Commentaire sur l'évangile de Jean.** É. Jeauneau (1972).
181. **La Règle de S. Benoît.** Tome I. Introduction et Chapitres I-VII. A. de Vogüé et J. Neufville (1972).
182. **Id.** – Tome II. Chapitres VIII-LXXIII, Tables et concordance. A. de Vogüé et J. Neufville (1972).
183. **Id.** – Tome III. Étude de la tradition manuscrite. J. Neufville (1972).
184. **Id.** – Tome IV. Commentaire (I-III). A. de Vogüé (1971).

185. **Id.** – Tome V. Commentaire (IV-VI). A. de Vogüé (1971).

186. **Id.** – Tome VI. Commentaire (VII-IX), Index. A. de Vogüé (1971).

187. HÉSYCHIUS DE JÉRUSALEM, BASILE DE SÉLEUCIE, JEAN DE BÉRYTE, PSEUDO-CHRYSOSTOME, LÉONCE DE CONSTANTINOPLE : **Homélies pascales.** M. Aubineau (1972).

188. JEAN CHRYSOSTOME : **Sur la vaine gloire et l'éducation des enfants.** A.-M. Malingrey (1972).

189. **La chaîne palestinienne sur le psaume 118.** Tome I. Introduction, texte critique et traduction. M. Harl (1972).

190. **Id.** – Tome II. Catalogue des fragments, Notes et Index. M. Harl (1972).

191. PIERRE DAMIEN : **Lettre sur la toute-puissance divine.** A. Cantin (1972).

192. JULIEN DE VÉZELAY : **Sermons.** Tome I. Introduction et Sermons 1-16. D. Vorreux (1972).

193. **Id.** – Tome II. Sermons 17-27, Index. D. Vorreux (1972).

194. **Actes de la Conférence de Carthage en 411.** Tome I. Introduction. S. Lancel (1972).

195. **Id.** – Tome II. Texte et traduction de la Capitulation et des Actes de la première séance. S. Lancel (1972).

196. SYMÉON LE NOUVEAU THÉOLOGIEN : **Hymnes.** J. Koder, J. Paramelle, L. Neyrand. Tome III. Hymnes XLI-LVIII, Index (1973).

197. COSMAS INDICOPLEUSTÈS : **Topographie chrétienne.** T. III. Livres VI-XII, Index. W. Wolska-Conus (1973).

198. **Livre** (cathare) **des deux principes.** Ch. Thouzellier (1973).

199. ATHANASE D'ALEXANDRIE : **Sur l'incarnation du Verbe.** C. Kannengiesser (1973).

200. LÉON LE GRAND : **Sermons.** tome IV. Sermons 65-98, Éloge de S. Léon, Index. R. Dolle (1973).

201. **Évangile de Pierre.** M.-G. Mara (1973).

202. GUERRIC D'IGNY : **Sermons.** Tome II. J. Morson, H. Costello, P. Deseille (1973).

203. NERSÈS SNORHALI : **Jésus, Fils unique du Père.** I. Kéchichian. Trad. seule (1973).

204. LACTANCE : **Institutions divines,** livre V. Tome I. Introd., texte et trad. P. Monat (1973).

205. **Id.** – Tome II. Commentaire et index. P. Monat (1973).

206. EUSÈBE DE CÉSARÉE : **Préparation évangélique,** livre I. J. Sirinelli, É. des Places (1974).

207. ISAAC DE L'ÉTOILE : **Sermons.** A. Hoste, G. Salet, G. Raciti. Tome II. Sermons 18-39 (1974).

208. GRÉGOIRE DE NAZIANZE : **Lettres théologiques.** P. Gallay (1974).

209. PAULIN DE PELLA : **Poème d'actions de grâces** et **Prière.** C. Moussy (1974).

210. IRÉNÉE DE LYON : **Contre les hérésies,** livre III. A. Rousseau, L. Doutreleau. Tome I. Introduction, notes justificatives et tables (1974).

211. **Id.** – Tome II. Texte et traduction (1974).

212. GRÉGOIRE LE GRAND : **Morales sur Job.** Livres XI-XIV. A. Bocognano (1974).
213. LACTANCE : **L'ouvrage du Dieu créateur.** Tome I. Introd., texte critique et trad. M. Perrin (1974).
214. **Id.** – Tome II. Commentaire et index. M. Perrin (1974).
215. EUSÈBE DE CÉSARÉE : **Préparation évangélique,** livre VII. G. Schrœder, É. des Places (1975).
216. TERTULLIEN : **La chair du Christ.** Tome I. Introduction, texte critique et traduction. J.- P. Mahé (1975).
217. **Id.** – Tome II. Commentaire et Index. J.-P. Mahé (1975).
218. HYDACE : **Chronique.** Tome I. Introduction, texte critique et traduction. A. Tranoy (1975).
219. **Id.** – Tome II. Commentaire et index. A. Tranoy (1975).
220. SALVIEN DE MARSEILLE : **Œuvres,** t. II. G. Lagarrigue (1975).
221. GRÉGOIRE LE GRAND : **Morales sur Job.** Livres XV-XVI. A. Bocognano (1975).
222. ORIGÈNE : **Commentaire sur S. Jean.** Tome III. Livre XIII. C. Blanc (1975).
223. GUILLAUME DE SAINT-THIERRY : **Lettre aux Frères du Mont-Dieu (Lettre d'or).** J.-M. Déchanet (1975).
224. **Actes de la Conférence de Carthage en 411.** Tome III. Texte et traduction des Actes de la 2e et de la 3e séance. S. Lancel (1975).
225. DHUODA : **Manuel pour mon fils.** P. Riché, B. de Vregille et C. Mondésert (1975).
226. ORIGÈNE : **Philocalie 21-27 (Sur le libre arbitre).** É. Junod (1976).
227. ORIGÈNE : **Contre Celse.** M. Borret. Tome V. Introduction et index (1976).
228. EUSÈBE DE CÉSARÉE : **Préparation évangélique.** Livres II-III. É. des Places (1976).
229. PSEUDO-PHILON : **Les Antiquités Bibliques.** D. J. Harrington, C. Perrot, P. Bogaert, J. Cazeaux. Tome I. Introduction critique, texte et traduction (1976).
230. **Id.** – Tome II. Introduction littéraire, commentaire et index (1976).
231. CYRILLE D'ALEXANDRIE : **Dialogues sur la Trinité.** Tome I. Dial. I et II. G.-M. de Durand (1976).
232. ORIGÈNE : **Homélies sur Jérémie.** P. Nautin et P. Husson. Tome I. Introduction et homélies I-XI (1976).
233. DIDYME L'AVEUGLE : **Sur la Genèse.** Tome I (Sur Genèse I-IV). P. Nautin et L. Doutreleau (1976).
234. THÉODORET DE CYR : **Histoire des moines de Syrie.** Tome I. Introduction et **Histoire philothée** I-XIII. P. Canivet et A. Leroy-Molinghen (1977).
235. HILAIRE D'ARLES : **Vie de S. Honorat.** M.-D. Valentin (1977).
236. **Rituel cathare.** C. Thouzellier (1977).
237. CYRILLE D'ALEXANDRIE : **Dialogues sur la Trinité.** Tome II. Dial. III-IV. G.-M. de Durand (1977).
238. ORIGÈNE : **Homélies sur Jérémie.** Tome II. Homélies XII-XX et homélies latines, index. P. Nautin et P. Husson (1977).

239. AMBROISE DE MILAN : **Apologie de David.** P. Hadot et M. Cordier (1977).
240. PIERRE DE CELLE : **L'école du cloître.** G. de Martel (1977).
241. **Conciles gaulois du IVe siècle.** J. Gaudemet (1977).
242. S. JÉRÔME : **Commentaire sur S. Matthieu.** Tome I. Livres I et II. É. Bonnard (1978).
243. CÉSAIRE D'ARLES : **Sermons au peuple.** Tome II. Sermons 21-55. M.-J. Delage (1978).
244. DIDYME L'AVEUGLE : **Sur la Genèse.** Tome II (Sur Genèse V-XVII). Index. P. Nautin et L. Doutreleau (1978).
245. **Targum du Pentateuque.** Tome I : **Genèse.** R. Le Déaut et J. Robert. Trad. seule (1978).
246. CYRILLE D'ALEXANDRIE : **Dialogues sur la Trinité.** Tome III. Livres VI-VII, index. G.-M. de Durand (1978).
247. GRÉGOIRE DE NAZIANZE : **Discours** 1-3. J. Bernardi (1978).
248. **La doctrine des douze apôtres.** W. Rordorf et A. Tuilier (1978).
249. S. PATRICK : **Confession et Lettre à Coroticus.** R.P.C. Hanson et C. Blanc (1978).
250. GRÉGOIRE DE NAZIANZE : **Discours** 27-31 (Discours théologiques). P. Gallay (1978).
251. GRÉGOIRE LE GRAND : **Dialogues.** Tome I. Introduction, bibliographie et cartes. A. de Vogüé (1978).
252. ORIGÈNE : **Traité des principes.** Livres I et II. H. Crouzel et M. Simonetti. Tome I : Introduction, texte critique et traduction (1978).
253. **Id.** – Tome II : Commentaire et fragments. H. Crouzel et M. Simonetti (1978).
254. HILAIRE DE POITIERS : **Sur Matthieu,** t. I : Introduction et chap. 1-13. J. Doignon (1978).
255. GERTRUDE D'HELFTA : **Œuvres spirituelles.** Tome IV. **Le Héraut.** Livre IV. J.-M. Clément, B. de Vregille et les Moniales de Wisques (1978).
256. **Targum du Pentateuque.** Tome II : **Exode et Lévitique.** R. Le Déaut et J. Robert. Trad. seule (1979).
257. THÉODORET DE CYR : **Histoire des moines de Syrie.** Tome II, **Histoire philothée** (XIV-XXX), **Traité sur la Charité** (XXXI) et Index. P. Canivet et A. Leroy-Molinghen (1979).
258. HILAIRE DE POITIERS : **Sur Matthieu.** Tome II. Chap. 14-33, appendice et index. J.Doignon (1979).
259. S. JÉRÔME : **Commentaire sur S. Matthieu.** Tome II. Livres III et IV, Index. É. Bonnard (1979).
260. GRÉGOIRE LE GRAND : **Dialogues.** Tome II. Livres I-III. A. de Vogüé et P. Antin (1979).
261. **Targum du Pentateuque.** Tome III : **Nombres.** R. Le Déaut et J. Robert. Trad. seule (1979).
262. EUSÈBE DE CÉSARÉE : **Préparation évangélique,** livres IV, 1 - V, 17. O. Zink et É. des Places (1979).
263. IRÉNÉE DE LYON : **Contre les hérésies,** livre I. A. Rousseau, L. Doutreleau. Tome I. Introduction, notes justificatives et tables (1979).

264. **Id.** – Tome II. Texte et traduction (1979).
265. GRÉGOIRE LE GRAND : **Dialogues.** Tome III. Livre IV, tables et index. A. de Vogüé et P. Antin (1980).
266. EUSÈBE DE CÉSARÉE : **Préparation évangélique,** livre V, 18-36 et VI. É. des Places (1980).
267. **Scolies ariennes sur le concile d'Aquilée.** R. Gryson (1980).
268. ORIGÈNE : **Traité des principes.** Tome III. Livres III et IV : Texte critique et traduction. H. Crouzel et M. Simonetti (1980).
269. **Id.** – Tome IV. Livres III et IV : Commentaire et fragments. H. Crouzel et M. Simonetti (1980).
270. GRÉGOIRE DE NAZIANZE : **Discours** 20-23. J. Mossay (1980).
271. **Targum du Pentateuque.** Tome IV. **Deutéronome,** bibliographie, glossaire et index des tomes I-IV. R. Le Déaut (1980).
272. JEAN CHRYSOSTOME : **Sur le sacerdoce (dialogue et homélie).** A.-M. Malingrey (1980).
273. TERTULLIEN : **A son épouse.** C. Munier (1980).
274. **Lettres des premiers Chartreux.** Tome II : Les moines de Portes. Par un Chartreux (1980).
275. PSEUDO-MACAIRE : **Œuvres spirituelles.** Tome I. V. Desprez (1980).
276. THÉODORET DE CYR : **Commentaire sur Isaïe,** Tome I : Introduction et sections 1-3. J.-N. Guinot (1980).
277. JEAN CHRYSOSTOME : **Homélies sur Ozias.** J. Dumortier (1981).
278. CLÉMENT D'ALEXANDRIE : **Stromate V.** Tome I : introduction, texte et index par A. Le Boulluec; traduction de P. Voulet (1981).
279. **Id.** – Tome II : commentaire, bibliographie et index par A. Le Boulluec (1981).
280. TERTULLIEN : **Contre les Valentiniens.** Tome I : introduction, texte et traduction. J.-C. Fredouille (1980).
281. **Id.** – Tome II : commentaire et index. J.-C. Fredouille (1981).
282. **Targum du Pentateuque.** Tome V. Index analytique. R. Le Déaut (1981).
283. ROMANOS LE MÉLODE : **Hymnes.** J. Grosdidier de Matons. Tome V. Hymnes XLVI-LVI (1981).
284. GRÉGOIRE DE NAZIANZE : **Discours** 24-26. J. Mossay (1981).
285. FRANÇOIS D'ASSISE : **Écrits.** Th. Desbonnets, Th. Matura, J.-F. Godet, D. Vorreux, o.f.m. (1981).
286. ORIGÈNE : **Homélies sur le Lévitique.** M. Borret. Tome I : Introduction et Hom. I-VII (1981).
287. **Id.** – Tome II : Hom. VIII-XVI, Index (1981).
288. GUILLAUME DE BOURGES : **Livre des guerres du Seigneur.** G. Dahan (1981).
289. LACTANCE : **La colère de Dieu.** C. Ingremeau (1982).
290. ORIGÈNE : **Commentaire sur S. Jean.** Tome IV. L. XIX-XX. C. Blanc (1982).
291. CYPRIEN DE CARTHAGE : **A Donat et La vertu de patience.** J. Molager (1982).
292. EUSÈBE DE CÉSARÉE : **Préparation évangélique,** livre XI. G. Favrelle et É. des Places (1982).

293. IRÉNÉE DE LYON : **Contre les hérésies,** livre II. A. Rousseau, L. Doutreleau. Tome I. Introduction, notes justificatives et tables (1982).
294. **Id.** – Tome II. Texte et traduction (1982).
295. THÉODORET DE CYR : **Commentaire sur Isaïe.** Tome II. Sections 4-13. J.-N. Guinot (1982).
296. ÉGÉRIE : **Journal de voyage.** P. Maraval. – **Lettre de Valérius,** M.C. Díaz y Díaz (1982).
297. **Les Règles des saints Pères.** A. de Vogüé. Tome I : **Trois règles de Lérins au Ve siècle** (1982).
298. **Id.** – Tome II : **Trois règles du VIe siècle** (1982).
299. BASILE DE CÉSARÉE : **Contre Eunome,** suivi de EUNOME : **Apologie.** B. Sesboüé, G.M. de Durand et L. Doutreleau. Tome I (1982).
300. JEAN CHRYSOSTOME : **Panégyriques de S. Paul.** A. Piédagnel (1982).
301. GUILLAUME DE SAINT-THIERRY : **Le miroir de la foi.** J.-M. Déchanet (1982).
302. ORIGÈNE : **Philocalie 1-20 et Lettre à Africanus.** M. Harl et N. de Lange (1983).
303. S. JÉRÔME : **Contre Rufin.** P. Lardet (1983).
304. JEAN CHRYSOSTOME : **Commentaire sur Isaïe.** J. Dumortier (1983).
305. BASILE DE CÉSARÉE : **Contre Eunome,** suivi de EUNOME : **Apologie.** B. Sesboüé, G.-M. de Durand et L. Doutreleau. Tome II (1983).
306. SOZOMÈNE : **Histoire ecclésiastique,** livres I-II. A.-J. Festugière, B. Grillet, G. Sabbah (1983).
307. EUSÈBE DE CÉSARÉE : **Préparation évangélique,** livres XII-XIII. E. des Places (1983).
308. GUIGUES Ier : **Méditations.** Par un Chartreux (1983).
309. GRÉGOIRE DE NAZIANZE : **Discours** 4-5. J. Bernardi (1983).
310. TERTULLIEN : **La patience.** J.-C. Fredouille.
311. JEAN D'APAMÉE : **Dialogues et traités.** R. Lavenant. Trad. seule (1984).

Hors série :

Directives pour la préparation des manuscrits (de « Sources Chrétiennes »). A demander au Secrétariat de « Sources Chrétiennes », 29, rue du Plat, 69002 Lyon.

La Règle de S. Benoît. VII. Commentaire doctrinal et spirituel. A. de Vogüé (1977).

SOUS PRESSE

ORIGÈNE : **Traité des principes.** Tome V. H. Crouzel.

THÉODORET DE CYR : **Commentaire sur Isaïe.** Tome III. J.-N. Guinot.

Historia acephala Athanasii : M. Albert, A. Martin.

PALLADIOS : **Dialogue sur la vie de Jean Chrysostome** (2 vol.). A.-M. Malingrey.

PROCHAINES PUBLICATIONS

TERTULLIEN : **La pénitence.** Ch. Munier.

JÉRÔME : **Sur Jonas.** Y.-M. Duval.

GUIGUES Ier : **Les coutumes de Chartreuse.** Par un Chartreux.

CYRILLE D'ALEXANDRIE : **Contre Julien.** Tome I. P. Burguière, P. Evieux.

TERTULLIEN : **Exhortation à la chasteté.** C. Moreschini et J.-C. Fredouille.

Conciles mérovingiens : J. Gaudemet et B. Basdevant.

GRÉGOIRE DE NAZIANZE : **Discours** 32-37. C. Moreschini et P. Gallay.

GRÉGOIRE LE GRAND : **Commentaire sur le Cantique.** R. Bélanger.

SOURCES CHRÉTIENNES

(1-311)

Également aux Éditions du Cerf :

LES ŒUVRES DE PHILON D'ALEXANDRIE

publiées sous la direction de

R. ARNALDEZ, C. MONDÉSERT, J. POUILLOUX.

Texte grec et traduction française.

1. **Introduction générale, De opificio mundi.** R. Arnaldez (1961).
2. **Legum allegoriae.** C. Mondésert (1962).
3. **De cherubim.** J. Gorez (1963).
4. **De sacrificiis Abelis et Caini.** A. Méasson (1966).
5. **Quod deterius potiori insidiari soleat.** I. Feuer (1965).
6. **De posteritate Caini.** R. Arnaldez (1972).

7-8. **De gigantibus. Quod Deus sit immutabilis.** A. Mosès (1963).

9. **De agricultura.** J. Pouilloux (1961).
10. **De plantatione.** J. Pouilloux (1963).

11-12. **De ebrietate. De sobrietate.** J. Gorez (1962).

13. **De confusione linguarum.** J.-C. Kahn (1963).
14. **De migratione Abrahami.** J. Cazeaux (1965).
15. **Quis rerum divinarum heres sit.** M. Harl (1966).
16. **De congressu eruditionis gratia.** M. Alexandre (1967).
17. **De fuga.** E. Starobinsky-Safran (1970).
18. **De mutatione nominum.** R. Arnaldez (1964).
19. **De somniis.** P. Savinel (1962).
20. **De Abrahamo.** J. Gorez (1966).
21. **De Iosepho.** J. Laporte (1964).
22. **De vita Mosis.** R. Arnaldez, C. Mondésert, J. Pouilloux, P. Savinel (1967).
23. **De Decalogo.** V. Nikiprowetzky (1965).
24. **De specialibus legibus.** Livres I-II. S. Daniel (1975).
25. **De specialibus legibus.** Livres III-IV. A. Mosès (1970).
26. **De virtutibus.** R. Arnaldez, A.-M. Vérilhac, M.-R. Servel, P. Delobre (1962).
27. **De praemiis et poenis. De exsecrationibus.** A. Beckaert (1961).
28. **Quod omnis probus liber sit.** M. Petit (1974).
29. **De vita contemplativa.** F Daumas, P. Miquel (1964).
30. **De aeternitate mundi.** R. Arnaldez et J. Pouilloux (1969).
31. **In Flaccum.** A. Pelletier (1967).
32. **Legatio ad Caium.** A. Pelletier (1972).
33. **Quaestiones in Genesim et in Exodum. Fragments grecs.** F. Petit (1978).

34 A. **Quaestiones in Genesim,** I-II (e vers. armen.). C. Mercier (1979).

34 B. **Quaestiones in Genesim,** III-IV (e vers. armen.) (en préparation).

34 C. **Quaestiones in Exodum,** I-II (e vers. armen.) (en préparation).

35. **De Providentia,** I-II. M. Hadas-Lebel (1973).
36. **De animalibus.** A. Terian et J. Laporte (en préparation).

Photocomposition Laser
C.C.S.O.M.
Abbaye de Melleray
44520 Moisdon-la-Rivière

ACHEVÉ D'IMPRIMER PAR
L'IMPRIMERIE CH. CORLET
14110 CONDÉ-SUR-NOIREAU

N° d'Imprimeur : 3352
Dépôt légal : février 1984

Imprimé en France